La collection « Rafales » e
par Marie Cadieux et Daniel Castillo

Tokyo express

De la même auteure

Immersion, roman, Arion, 1995.

Rafales | nouvelles

Marie-Josée L'Hérault
Tokyo express

Données de catalogage avant publication (Canada)

L'Hérault Marie-Josée
    Tokyo express

(Rafales. Nouvelles)

ISBN 2-921603-68-3

I. Titre II. Collection

PS8573.H47T64 1998   C843'.54   C98-940256-8
PS9573.H47T64 1998
PQ3919.2.L43T64 1998

Nous remercions le Conseil des Arts du Canada de l'aide accordée à notre programme de publication. Nous remercions également la Société de développement des industries culturelles et Patrimoine canadien de leur appui.

Dépôt légal — Bibliothèque nationale du Québec, 1998
                        Bibliothèque nationale du Canada, 1998

Éditions Vents d'Ouest inc.   Diffusion en France :
99, rue Montcalm   Librairie du Québec
Hull (Québec)   30, rue Gay Lussac
J8X 2L9   75005 Paris, France
Téléphone : (819) 770-6377   Téléphone : 43 54 49 02
Télécopieur : (819) 770-0559   Télécopieur : 43 54 39 15

Diffusion au Canada : Prologue inc. Diffusion en Suisse :
1650, boulevard Lionel-Bertrand   Intervalles
Boisbriand (Québec)   Rue Mont Sujet 18
J7H 1N7   2515 Prêles, Suisse
Téléphone : (514) 434-0306   Téléphone : 032/315 19 01
Télécopieur : (514) 434-2627   Télécopieur : 032/315 14 23

Le Prix littéraire
Jacques-Poirier – Outaouais 1998

Marie-Josée L'Hérault est la septième lauréate du Prix littéraire Jacques-Poirier – Outaouais. Doté d'une bourse de 2 500 $, ce prix vise à perpétuer le souvenir du fondateur du Salon du livre de l'Outaouais et à rendre hommage à ce qu'il chérissait le plus : l'œuvre littéraire.

Le Prix littéraire Jacques-Poirier – Outaouais 1998 est soutenu par les Caisses populaires Desjardins de la ville de Hull, le Collège de l'Outaouais, le Salon du livre de l'Outaouais, l'Université du Québec à Hull, les villes de Hull, d'Aylmer et de Gatineau ainsi que par les Éditions Vents d'Ouest qui assurent la publication de l'œuvre primée.

1997 : Jean-Louis Gaudet, *Le Violon du diable,* VLB éditeur, roman.

1996 : Rachelle Renaud, *Le Roman d'Éléonore,* VLB éditeur, roman.

1995 : Françoise Tremblay, *L'Office des ténèbres,* VLB éditeur, nouvelles.

1994 : Dominic Lapointe, *Les Ruses du poursuivant,* VLB éditeur, roman.

1993 : Claude Paradis, *Le Silence de la terre,* VLB éditeur, poésie.

1992 : Michel Dallaire, *Terrains vagues,* VLB éditeur, roman.

Remerciements à ma première lectrice,
Odette Paquin, pour ses encouragements
et ses précieux conseils.

À John,
en souvenir d'une île lointaine.

Le rire de Bouddha

L E VENTILATEUR râle comme à bout de souffle. Il a fonctionné toute la nuit, couvrant les voix des touristes qui occupent la chambre voisine. Dehors, une chaleur humide draine l'énergie des passants. Le soleil sue sur la ville.

Irwin Cork est ici depuis huit jours. En descendant de l'avion, le choc des cultures lui a asséné un grand coup sur la tête. Plus moderne, trop près et trop différent à la fois de son pays, le Japon ne ressemble en rien à ce qu'il s'était représenté.

Dès le premier soir, une mésaventure a marqué la couleur de ses rapports à son nouvel environnement.

Son patron lui avait réservé une chambre dans un *ryokan*, une sorte d'hôtel japonais. À son arrivée dans cet établissement, Irwin a traversé le vestibule sans retirer ses souliers, ce qui constitue un manquement aux usages dans ce pays. L'employée a fondu sur lui. Elle l'a poussé vers l'entrée. Elle

parlait une langue faite de sons étouffés. Les « o »
et les « a » roulaient dans des phrases qui n'avaient
ni début ni fin, ni queue ni tête. Sa harangue était
ponctuée de gestes. Il avait compris qu'à la suite
d'une transmutation culturelle, ses manières,
jugées jusque-là impeccables, étaient devenues
grossières.

Penaud, il avait enlevé ses chaussures.
L'employée le surveillait d'un œil sévère. Il l'avait
de nouveau offensée lorsque, plus tard, il s'était
rendu aux toilettes. Les pantoufles avec lesquelles
on circulait dans le couloir différaient de celles, en
caoutchouc, employées dans la salle de bains. Dans
sa hâte ou son ignorance, il avait négligé de procé-
der à l'échange. Des cris aigus l'avaient paralysé sur
le seuil. Son cœur avait sauté quelques battements.
Il se sentait soumis à des lois plus étranges que
celles imaginées dans ses rêves.

Il frotte ses membres courbaturés. Il s'habitue
mal à dormir sur un futon, à même le sol. La min-
ceur du matelas et surtout les piqûres sur ses jambes
lui font présumer l'avarice de son patron. Ce dernier s'est engagé par écrit à le loger, évitant toutefois de préciser dans quelles conditions. « Si
l'excellence d'un établissement se mesure se mesure
en étoiles, raisonne Irwin, la médiocrité doit s'évaluer en fonction des piqûres reçues. » Un, deux,
trois… il renonce à les compter. Dans les nattes de
paille du plancher vit un peuple d'insectes micro-

scopiques. Quand on ne veille pas à l'éliminer, il s'adonne à des festins nocturnes.

Aiguillonné par leurs morsures, il a allumé la lampe plusieurs fois. Ne voyant aucune trace des insectes, il a cru à un truc psychologique.

Il n'a pas le temps de déjeuner. Il s'achètera un café glacé dans une distributrice. Postés à chaque coin de rue, ces appareils sollicitent le passant jour et nuit. Ils exploitent la soif, la chaleur humide. Ils vont jusqu'à offrir des boissons alcoolisées. Leur commerce prend dans l'obscurité des allures de marché noir.

Du café glacé ; quelle aberration ! Lui qui déteste son café tiède n'aurait jamais pensé en boire un jour du froid. Acculé au mur de l'incompréhension, il rit.

Il a aperçu, dans la rue, une femme qui se protégeait du soleil avec son parapluie. Son parapluie ! C'est un monde à l'opposé du sien. On n'y marche pas sur la tête comme dans la Chine des dessins animés, mais tout juste.

Irwin fait glisser la porte de sa chambre. Il n'y a pas de verrou. Il craint qu'on ne le vole. La nuit, il met son argent dans un sac attaché à une ceinture qu'il porte directement sur sa peau. Il enfile un pyjama par-dessus, quitte à mourir noyé dans sa transpiration.

Le corridor baigne dans une demi-obscurité. Un seul des quatre plafonniers fonctionne. Au bas de l'escalier, il croise un moine chauve, vêtu d'une robe orange. Se méfiant de lui comme d'un voleur potentiel, il se retient de ne pas le suivre pour s'assurer qu'il regagne bien sa chambre.

L'employée lit derrière son comptoir. Fausse indifférence ; son regard l'atteint en plein dos, il le sent peser sur lui, inquisiteur et vigilant. Il met à ranger ses pantoufles plus de soin que nécessaire. Il n'agit pas ainsi seulement à cause de l'employée. À dire vrai, il appréhende le moment de sortir. Dans la rue, tous ces regards ; leurs yeux noirs s'attachent à lui, le différencient. Les passants, dans leurs vêtements sombres, s'effacent tandis qu'il devient plus visible. Il comprend mieux qu'avant le sens du mot « minorité ».

Trois voitures et une dizaine de vélos se disputent l'espace de la cour intérieure. Il cherche la bicyclette que son patron lui a prêtée. Il l'avait appuyée contre ce pilier ; elle n'y est plus. Quelqu'un s'en sera emparé. Il savait que cela arriverait, il avait raison de se méfier. Au fond de la cour, Irwin repère une bicyclette semblable à la sienne. Se pourrait-il qu'on l'ait simplement déplacée ? Il jette ses livres dans le panier fixé aux poignées. Sa conclusion trop hâtive ne le gêne pas. Rien ne garantit qu'on ne commettra pas le vol dans les jours prochains.

Il enfourche la bicyclette. La propriétaire de l'hôtel, une petite vieille d'au moins cent ans, revient de l'épicerie. Elle marche à petits pas en poussant devant elle une voiture d'enfant. Cette dernière, en plus de servir au transport des achats, tient lieu d'appui. La vieille s'y cramponne comme à son autonomie.

Irwin roule vers elle. Mme Yamamoto lâche sa voiture, mais demeure courbée. Il suppose qu'elle n'est plus capable de se déplier. Après l'avoir entrevue hier, pour la première fois, il ne s'étonne plus de la malpropreté de sa chambre. Il a trouvé sous son matelas une enveloppe de suppositoires. Cette découverte l'a amené à conclure qu'on ne passait pas souvent l'aspirateur.

La vieille femme agite les bras. Il lui adresse un signe amical. Au moment où il passe à sa hauteur, elle allonge le pied. Irwin évite de justesse la chute. Un peu plus et elle fauchait les rayons de sa bicyclette. Il s'arrête, médusé. Mme Yamamoto lui indique son erreur d'un doigt cornu. Il s'est trompé de vélo, le sien est couché sur le pavé derrière une voiture. Qui sait ce que la vieille femme a cru ; qu'il lui volait sa bécane, peut-être ? Les bicyclettes d'ici, songe-t-il, se ressemblent autant que leurs propriétaires. Il se remet péniblement en selle après avoir changé de vélo.

La ruelle débouche sur une artère à peine plus large où circulent des voitures, blanches pour la plupart, des scooters aux vrombissements de tondeuses, des camions (des jouets en comparaison des poids lourds de son pays).

Irwin conduit en se tenant le plus près possible de la chaîne de trottoir. Les dalles de ciment défilent sous lui. Une odeur rance. La ville transpire par tous les pores de ses égouts.

Un camion jouet le frôle. Il décide de monter sur le trottoir. La rue emprunte un parcours brisé qui change sans cesse de trajectoire. Au Japon, note-t-il, les rues s'écartent les unes des autres, alors qu'au départ, vous les croyiez parallèles. Vous devez connaître votre chemin par cœur, le suivre sans hésiter.

Il ne s'intéresse ni aux temples ni aux jardins peuplés d'arbres nains. Il a accompli son devoir d'étranger en visitant le palais de l'empereur. « Visiter », d'ailleurs, est un grand mot puisque la demeure royale était fermée au public. Il s'est contenté d'en longer les murs.

Le pouls de la ville bat telle une rumeur de vie. Il passe sans l'entendre. Il baisse les yeux pour éviter les regards. Sa tendance à la paranoïa s'est accentuée du fait de sa présence sur un sol étranger.

Irwin contourne une passante portant un masque de chirurgien. Il sait maintenant (son patron a répondu à ses questions angoissées) que la femme, probablement atteinte de la grippe, cherche par ce moyen à prévenir la contagion. Quoique mieux renseigné, il continue d'associer ces mesures d'hygiène à la pollution, aux attaques nucléaires et même pire, aux prémices de la fin du monde.

Qu'est-ce qui se cache derrière leurs masques, derrière leurs sourires, derrière les murs du palais de l'empereur ? Il lève les yeux au ciel, comme en attente d'une réponse. Sur leurs balcons, les ménagères battent les futons pour en chasser la poussière. Plus haut, il y a les toits. Ils s'étendent jusqu'à la mer. Leurs tuiles brillent, pareilles à des écailles de dragon. Plus haut, le soleil lui interdit de le regarder en face.

L'astre l'aveugle. Un éclair noir, il choit de sa bicyclette. Il n'a pas vu le poteau dressé sur sa route. Ses livres ont été projetés sur le trottoir. Il gît sous le vélo renversé.

Des visages se penchent sur lui. Leurs mines réjouies fouettent son orgueil. Il se relève. Tous rient, même le bouddha de pierre assis sur son piédestal. « Allez-vous-en ! », hurle-t-il. Ils s'esclaffent de plus belle. Un homme lui tend ses manuels. Il le repousse, les livres tombent sur le sol.

Il saisit le guidon de la bicyclette, fait quelques pas en boitant. La roue arrière frotte sur le cadre. Il ne s'en aperçoit pas plus qu'il n'a conscience des éraflures sur ses bras et ses jambes.

Il repart dans l'hilarité générale. Ses manuels sont restés sur le sol. Un citoyen les porte au bureau des objets perdus.

❀

La terre s'éloigne, l'île disparaît à une vitesse super-
sonique. Irwin pousse un soupir de soulagement.

— Vous êtes venu au Japon pour affaires? s'informe son voisin.

— Oui et non. J'étais venu pour travailler, pour
enseigner l'anglais plus précisément.

— Vous avez aimé votre expérience?

— Je l'ai détestée! Ces gens réagissent de façon
tellement étrange, grossière même parfois. Tenez, à
titre d'exemple, j'ai fait une chute à bicyclette et les
passants, plutôt que de m'aider, se sont moqués de
moi.

— Moqués de vous?

— Oui. Ils riaient, ils se payaient ma tête.
Alors, sur-le-champ, couvert de bosses et d'éraflures, je suis allé donner ma démission. Je ne voulais pas demeurer dans un endroit pareil.

— Mais monsieur, vous ne saviez pas qu'au
Japon, lorsqu'on se blesse, les gens sourient pour
vous rassurer? C'est leur manière de vous dire que
vous êtes en vie et que tout va pour le mieux.

Le reportage

SON UNIVERS, depuis deux jours, se réduit à cette salle de bains. Et le reportage qui doit être livré dans une semaine! Penché au-dessus de la cuvette, il enrage. Deux jours de perdu à contempler les murs d'une chambre d'hôtel. À chaque fois qu'il essaie de s'éloigner, il est repris par un urgent besoin de se rendre aux toilettes. Si au moins il tenait le sujet de son prochain film! Cette fois, il faut qu'il se surpasse s'il veut rester dans la course. Son dernier reportage, « Mémoire d'une fève mexicaine », n'a pas obtenu le succès escompté. Il soupçonne cette juge, une pimbêche aux lunettes pointues, de l'avoir calé. Qu'importe, il doit faire mieux. Il avait prévu de tourner un reportage sur les moines bouddhistes, mais une autre concurrente, de passage en Chine, l'a devancé. Elle lui a volé son idée sans même s'en rendre compte.

Affolés d'images, ils visitent des pays dont on voudrait qu'ils saisissent l'âme, en dix minutes, sur pellicule. On juge leur travail. Il suffit d'un caprice, d'une impression pour rabaisser ou gonfler leurs espoirs. Ils parcourent la planète. La terre elle-même semble se soumettre et collaborer à cette prestigieuse compétition. Elle se donne en entier : à eux de la découvrir dans ses parties les plus secrètes. Le monde comme champ de leurs investigations ; il n'y a plus de limite, ou plutôt si, il y en a une : le temps. Et que dire des juges ? Il les voit alignés, la mine sévère, des doubles de la pimbêche qui l'a calé l'autre jour. Leurs lunettes pointues, aussi effilées que des poignards, dépassent de chaque côté de leur tête.

Une autre mauvaise note le rayerait de la liste des gagnants. Or, il entend se servir de cette expérience pour lancer sa carrière de journaliste. Il aspire à une première ou à une seconde place.

Pierre ronge son frein. Il est là, prostré sur le plancher d'une salle de bains, pendant qu'ailleurs, ses compétiteurs s'évertuent à gagner.

L'aventure l'exalte et le détruit. Il n'a jamais su gérer son stress. En Égypte, il a souffert d'une migraine, au Pakistan, il s'est battu contre une grippe dont le virus, parti de Hong Kong, s'est donné bien du mal pour venir le rencontrer. C'est à se demander pourquoi on l'a choisi. Il s'assied sur la cuvette, la tête entre les mains. Ses longs cheveux d'artiste retombent de chaque côté de son visage. Saisi d'impatience, il les rejette en arrière. Voilà le bout de l'aventure : le fond d'une misérable cuvette. Est-ce possible ? Atterrir dans une salle de bains quand les bains japonais, justement, sont si réputés.

Il s'exhorte à réagir. Le plus pressant : trouver un sujet pour son reportage. Les bains, pourquoi pas ? Dès qu'il ira mieux, il rendra visite à l'un de ces établissements. Ne rien laisser au hasard, il se doit d'explorer toutes les avenues possibles.

Un ami d'un ami lui a donné le nom d'une personne à contacter dans cette ville. Un étudiant, un dénommé Hiro. Trop malade pour travailler ou penser efficacement, il ne lui a pas encore téléphoné. Il va communiquer avec lui sans tarder. Peut-être saura-t-il le mettre sur la piste d'un bon sujet ?

❋

Où que l'on soit, il est facile de repérer l'édifice des bains. Sa longue cheminée domine le quartier. Il s'en échappe des vapeurs de lessive, blanches et agiles.

Pierre trouve le bâtiment laid, sa façade rapiécée, peu invitante. Il s'était fait une idée plus poétique de l'endroit. Il s'est levé ce matin, des projets plein la tête. Son enthousiasme commence déjà à retomber. Le rideau de la porte masque sans doute une déception. Puisqu'il est ici, il va tout de même entrer, pousser plus loin sa reconnaissance, qu'il puisse au moins dire à son retour : « Oui mon cher, j'ai essayé les bains japonais ».

Il franchit le pas de la porte, son dictionnaire français/japonais sous le bras. Sa plus grande peur est de ne pas arriver à se faire comprendre.

Les bains se divisent en deux sections ; les quartiers des hommes, à droite, ceux des femmes, à gauche. Entre les deux entrées, au milieu du vestibule, se trouve un comptoir derrière lequel se tient une vieille femme. L'œil mi-clos, elle paraît dormir. Elle ne bouge pas plus qu'un reptile au repos.

Pierre baragouine quelques mots en japonais : « *Icura desu ka ?* » (combien est-ce ?) La femme ne réagit pas. Il lui tend au hasard un billet de mille yens (l'entrée ne coûte sûrement pas davantage). Elle se saisit promptement de l'argent. Elle lui remet un bout de carton : son billet, ainsi qu'une poignée de monnaie. Les mains pleines, il laisse échapper les pièces qui tintent et roulent à n'en plus finir sur le sol. En les ramassant, il note que certaines ont un trou au milieu, comme si un cow-boy s'en était servi pour pratiquer son tir.

Il pénètre dans la salle réservée aux hommes. C'est une grande pièce où l'écho amplifie chaque bruit, où les murs de tuiles suintent, bien que des courants d'air froid se glissent sous le rideau de la porte. Une demi-douzaine d'hommes sont accroupis devant des robinets placés très bas, à deux pieds environ du sol. Ils sont nus.

Sa pudeur naturelle, ou plutôt culturelle, revient au galop. Il fait un effort pour se dominer. S'il s'écoutait, il tournerait les talons sur-le-champ. Surmontant avec peine son embarras, il se déshabille en rougissant. Personne, pourtant, ne s'occupe de lui. Son voisin se savonne consciencieusement. De temps en temps, il pose son savon sur le sol, puis, à l'aide d'un petit seau, il s'arrose pour se rincer.

Le voisin lui sert de modèle. Il copie ses gestes. Sa nudité le rend mal à l'aise, elle le gêne dans ses mouvements. Il se tient accroupi dans un coin, il regarde surtout l'angle du mur. Il a rangé son dictionnaire dans un casier et maintenant, il se sent comme sourd. Il ne lui reste que la vue pour tenter de donner un sens au monde qui l'entoure. Le toucher, l'odorat, ces sens négligés, ne sont pas même en cause. Il ne lui reste que la vue dont il ose à peine se servir.

Il s'arrose d'un geste sec. Quelques éclaboussures atteignent son voisin au visage. « Pardon », s'excuse-t-il. L'autre se lève, imperturbable, un masque de plâtre à la place du visage. « Pardon », répète-t-il, effrayé. Son voisin, lui tournant le dos, va s'accroupir un peu plus loin.

Cette petite routine savonne-rince commence à l'ennuyer. Il fixe le bain. Il entrevoit là un moyen de se débarrasser de sa gêne, de l'immerger, de la noyer. Curieusement, le bain ne sert pas à se laver. Il inspire une sorte de respect. Il faut y entrer pur ; agir autrement serait commettre un sacrilège.

Après s'être envoyé une dizaine de seaux d'eau sur le corps, sans compter ceux qui ont raté leur cible, il s'estime digne de pénétrer dans l'eau. Il s'approche du bain. Deux hommes s'y trouvent déjà, confortablement installés. Il trempe dans l'eau un orteil hésitant, le retire aussitôt, recommence ce manège à quelques reprises. Les Japonais l'observent, étonnés sans doute de le voir faire tant de manières. L'eau fume, de la lave en fusion ! Il n'arrivera jamais à s'immerger là-dedans. Il lui vient une idée. Il ouvre tout grand le robinet d'eau froide, le laisse couler pendant plusieurs minutes, puis, avec mille précautions, il entre dans l'eau. Il s'assied près du jet glacé. Cette chaleur, la vapeur qui lui monte au visage, c'est à peine tolérable.

Les deux autres hommes sortent du bain, le corps ni plus ni moins rouge qu'avant. Comment font-ils, ont-ils une peau plus épaisse, plus résistante que la sienne ?

Il ferme les yeux. Quand il les rouvre, au bout de quelques secondes, tout le monde a vidé les lieux. Il n'a pas le temps de réfléchir à cette situation. La vieille dame du guichet arrive en trombe dans la salle. Les autres, les baigneurs, la suivent, enroulés dans des serviettes.

La vieille dame l'invective dans une langue qui, pour être du japonais, n'en passe pas moins, à ses oreilles non initiées, pour du véritable chinois. Elle pointe sans cesse le robinet. À un moment qu'il imagine être déterminant dans cette engueulade, elle fait un pas en avant. Il croise pudiquement les mains sur son sexe. Elle s'approche encore, elle tend la main. De plus en plus alarmé, il se demande où elle veut en venir. D'un geste sec, elle ferme le robinet d'eau froide.

Elle rejoint ses clients, drapés dans leur serviette et leur dignité. Ils tiennent un conciliabule, près de la porte. Que peut-elle bien leur dire; « justice est rendue » ou alors, « croyez-moi, il est fait de la même manière que vous »?

Calé dans l'eau jusqu'au menton, il attend qu'elle s'en aille pour se relever. Il attend au risque d'y laisser sa peau. Car son épiderme rougit dangereusement.

La vieille dame soulève le coin du rideau pour sortir. Il était temps! Pierre bondit hors du bain. Il ramasse ses effets, les roule en boule sous son bras. Il se rhabille loin des regards, dans le cabinet de toilette. Il sort de l'édifice, la tête basse, honteux comme s'il avait commis un crime. Il se sait vaguement coupable d'avoir laissé couler le robinet d'eau froide. Mais il y a plus, il se sent lésé. Si le robinet n'était qu'un prétexte?

Perdu dans ses suppositions, il réinterprète chaque geste. Il n'épargne personne, pas même la vieille dame qu'il soupçonne d'être une voyeuse. Loin de lui maintenant l'idée de réaliser un reportage sur les bains.

❋

Hiro, son contact à Tokyo, a organisé pour lui la visite d'une école. Il s'y serait rendu très tôt, dès huit heures, n'eût été des quelques achats indispensables à la poursuite de son travail. On ne leur fournit pas assez de matériel, il lui manque toujours quelque chose.

Ils attendent l'ouverture du centre commercial. Hiro l'assure qu'il va trouver à l'école matière à élaborer un excellent reportage. « J'ai tout arrangé, lui explique-t-il pour la millième fois. Tu vas aller dans une classe, tu vas voir, les élèves sont très gentils. »

D'autres clients arrivent, surtout des femmes, des mères de famille. Elles se hâtent sur leurs courtes jambes. Elles marchent les pieds tournés vers l'intérieur. C'est à force de monter à bicyclette en jupe, de serrer les genoux pour ne pas être indécentes qu'elles ont développé cette démarche.

Ils patientent encore quelques instants. Une jeune personne, toute de bleu vêtue, vient enfin déverrouiller les portes. Ils pénètrent dans l'édifice.

Ils avancent entre deux rangées de vendeurs qui s'inclinent respectueusement sur leur passage. Le personnel du centre commercial, y compris le grand patron, se fait un devoir de saluer chaque jour les premiers clients.

On déroule pour eux le tapis rouge. Tous ces jeunes gens en uniforme, si polis ; jamais il n'a reçu pareil accueil. On leur souhaite la bienvenue avec une telle délicatesse, on pourrait croire qu'ils sont des princes, des ambassadeurs, bref des gens incroyablement importants.

Nullement impressionné par ces courbettes de protocole, Hiro l'informe d'un ton plat que le rayon de la photographie se trouve au quatrième étage. Trop paresseux pour emprunter l'escalier, ils optent pour l'ascenseur. Devant ce dernier, une jeune femme attend, souriante. Elle aussi porte un uniforme. Avec son petit calot sur la tête, elle ressemble à une hôtesse de l'air des années soixante. Elle les invite à monter. Elle referme les portes, presse un bouton pour indiquer leur destination.

Il la plaint. Toute la journée à monter et à descendre. Dans sa fusée rivée au plancher, elle effectue des dizaines de vols domestiques, des vols aussi ennuyeux que les passagers, entrevus à peine quelques secondes.

Pris d'un élan de sympathie, il veut savoir son nom. Hiro lui sert d'interprète. La jeune femme répond en deux ou trois mots. Hiro traduit :

« Madame préposée à l'ascenseur ». Croyant à une farce, Pierre éclate de rire. « Ce n'est pas un nom », proteste-t-il. Devant la mine sérieuse des deux autres, il perd contenance. Peut-on s'identifier à ce point à son travail ? Est-il possible de ressentir autant de fierté pour un emploi, somme toute, très banal ? Et qu'en est-il des autres employés, font-ils preuve du même enthousiasme lorsqu'ils parlent de leur travail ?

Il flaire un bon papier. Il imagine une entrevue, il pense à son reportage. Et puis non ; ces gens-là donneraient des complexes à ses compatriotes, déjà fort hésitants quant à leur identité. La dernière chose qu'il voudrait, c'est que les siens se sentent rabaissés. Alors il vaut mieux oublier cette idée.

Les portes de l'ascenseur s'ouvrent. La préposée les salue, trop belle, trop polie, trop parfaite pour être vraie.

❄

Le professeur se dit honoré de sa visite. Il le fait asseoir à l'avant, à son bureau. Lui-même se retire au fond de la classe.

Les élèves se présentent un à un, d'abord les garçons, ensuite les filles. Il les salue chacun leur tour d'un mouvement de tête. À la fin des présentations, il se produit une chose à laquelle il ne s'attendait pas. Le professeur annonce à la classe que M. Dufour va leur parler de son pays. Un exposé! On ne l'avait pas prévenu! Et Hiro qui s'est sauvé comme un voleur. Il l'a abandonné ici sous prétexte d'avoir une course à faire quelque part en ville.

Pierre cherche en vain une carte géographique pour situer son pays. Il fouille dans ses poches. Pas d'argent, pas de timbre de chez lui. Comme si son pays n'existait pas.

Ils attendent, le visage tourné vers lui, qu'il leur raconte un pays. Il a la bouche sèche, les mots ne lui viennent pas. Il prend une craie, dessine une forme au tableau. Cela ne ressemble à rien.

« Dans mon pays, commence-t-il, les hivers sont encore plus froids que sur l'île d'Hokkaido. » Cette comparaison devrait leur servir de point de repère. Hum... peut-être pas. Ils le regardent, l'air de ne pas comprendre. « Pourriez-vous, s'il vous plaît, vous exprimer en anglais? » lui demande le professeur. Pierre s'excuse. Dans son énervement, il a parlé en français. « *In my country...* », reprend-il. Puis il ne trouve plus rien à dire. Un silence gênant s'installe, comment le rompre? Il a une inspiration. Il demande aux élèves de lui poser des questions sur son pays. Cela va au moins passer le temps, se dit-il. Le professeur tente de donner l'exemple. « Quel est votre sport national? » s'informe-t-il d'un ton péremptoire, un ton qui laisse sous-entendre qu'il connaît déjà la réponse à cette

question. « Le hockey », répond spontanément
Pierre. Les visages des élèves conservent une
expression neutre. Pierre finit par s'apercevoir
qu'ils comprennent très peu l'anglais. Ils se révè-
lent incapables d'assembler des mots pour former
une phrase ou traduire une idée.

Il s'était levé pour parler ; il se rassoit, décou-
ragé. Les élèves le dévisagent. Il a l'impression
d'être une bête de cirque. À l'arrière de la classe, le
professeur corrige des cahiers d'exercices. Il semble
n'avoir prévu aucune autre activité pour cette
période. Qu'est-ce qui me retient de filer d'ici ?
pense Pierre. Un réflexe, présume-t-il. Il lui
répugne de partir avant que la cloche ne se fasse
entendre (en ont-ils seulement une ?).

Le professeur se lève pour distribuer les cahiers.
Il remet leurs devoirs d'abord aux garçons, ensuite
aux filles. La cloche émet un bruit de gros bourdon.
Aussitôt, les garçons se précipitent. Voulant mettre
en pratique ce qu'ils ont vu faire dans les films américains, ils se bousculent pour serrer la main de
l'étranger. Pierre se soumet de bonne grâce. À la
longue cependant, ce contact l'irrite. Leur poigne
molle a quelque chose de fuyant. Ces gens l'entourent et se dérobent en même temps.

D'un regard rapide, il vérifie si la mallette se
trouve toujours à ses pieds. La valise, qui renferme
son matériel de cinéaste, ne le quitte plus. Même
fermée, elle lui rappelle l'échéance, la date fatidique

à laquelle il devra livrer son prochain reportage. Et dire qu'il cherche toujours un sujet!

Il multiplie les poignées de main. Les filles, demeurées en retrait, s'avancent à leur tour pour le saluer.

Il pourrait réaliser un reportage traitant de la condition des femmes au Japon. Il insérerait des séquences tournées à l'école. On y verrait le professeur de cette classe (ce dernier bien sûr ignorerait le sujet réel du film) distribuer aux élèves leurs diplômes de fin d'année. Il appellerait d'abord les garçons, ensuite les filles.

Ce genre de reportage secouerait l'opinion publique. « Un film engagé », commenteraient les juges. Les femmes de son pays, après l'avoir visionné, applaudiraient son audace, loueraient son ouverture d'esprit. La juge à lunettes se verrait forcée de changer d'opinion à son sujet. Elle s'adresserait à lui par l'intermédiaire d'un satellite. Elle le complimenterait d'une voix aussi pointue que ses lunettes.

Un tel document ne manquerait pas de plaire, du moins à certaines personnes. Car il pourrait y avoir des répercussions politiques. Il doit, à cet égard, se montrer prudent. Éviter le geste qui risque de nuire à sa future carrière.

De toute façon, il ne se sent pas le courage d'entreprendre un projet semblable. Il cherche un sujet à la fois original et inoffensif, une recette à succès.

Quelqu'un lui tire les cheveux. La coupable ne l'a pas fait exprès, elle voulait seulement caresser cette chevelure étonnamment mince, cette chevelure aussi soyeuse qu'un duvet d'oiseau.

La même fille, ou peut-être est-ce une autre (il peut difficilement voir ce qui se passe dans son dos), fait glisser l'élastique retenant ses cheveux.

Une main anonyme lui tape sur l'épaule. Puis au milieu des rires et des courbettes, une brosse circule d'une fille à l'autre. Pierre a deviné leur intention. Il les laisse faire. Il se laisse faire.

On le coiffe avec d'infinies précautions. La brosse glisse dans ses cheveux. Elle lui masse doucement le crâne, elle lui gratte un peu le cou. Il trouve plutôt agréable d'être l'objet de tant de soins. Conscient de l'attraction qu'exerce sa chevelure, il se carre dans son siège, il fait le paon.

Le professeur, en sortant de la classe, le salue sèchement.

❋

— As-tu aimé ta visite à l'école ?

— Parlons-en ! Tu ne m'avais rien dit à propos de cet exposé. Si j'avais su…

Il règle ses comptes avec Hiro. Ce dernier l'écoute, la tête un peu penchée. Les reproches n'en glissent que plus aisément sur lui. « Cet homme est intouchable », pense Pierre. Et il s'irrite de ce sourire calme. Il se sent d'autant plus exaspéré que l'autre s'efforce de l'apaiser.

— Attends, ne te fâche pas. J'ai une bonne idée pour ton reportage.

— Si c'est comme la dernière fois…

— Ce soir, tu vas voir.

— Ce soir ?

— Ce soir, répète Hiro, sans qu'il soit possible d'en apprendre davantage.

❊

À la nuit tombée, Hiro l'entraîne vers un terrain vague. Une clôture de broche entoure cet espace vide, ce grand trou au cœur de la ville. Piétiné par endroits, le grillage n'offre plus tellement de résistance aux passants.

Hiro enjambe la clôture écrasée. Pierre le suit, l'œil aux aguets. Est-ce bien légal, ce qu'ils font là ? Tout en s'interrogeant, il se tient à l'affût d'une bonne histoire. On ne sait jamais, les scoops se cachent dans les endroits les plus inusités.

Il distingue, dans la pénombre, plusieurs bicyclettes, les unes alignées avec une certaine méthode, les autres éparpillées un peu partout dans l'enclos. Celles qui gisent, renversées sur le côté, ont l'air d'avoir été abandonnées depuis longtemps.

Hiro s'écarte du sentier pour inspecter une bicyclette. Il la palpe rapidement, à la manière d'un

médecin pressé d'examiner son patient. Il la dépose
sans bruit. Revenant sur ses pas, il fait rouler un
autre vélo près de lui, s'arrête, tâte les pneus, puis
satisfait, revient vers Pierre, le vélo toujours à ses
côtés. « Je vais te montrer, annonce-t-il à mi-voix,
comment on se procure une bicyclette dans ce
pays. » Avant que Pierre n'ait eu le temps de réagir,
il enfourche la bicyclette et fonce vers la clôture. Au
moment de l'atteindre, il met pied à terre. « Tu
viens ? » dit-il en se retournant vers Pierre. Et sans
attendre, il roule la bicyclette par-dessus la clôture
écrasée.

En voyant Hiro s'éloigner dans la rue, Pierre
sort enfin de son hébétude. Il prend ses jambes à
son cou, s'efforce de le rejoindre. Mais Hiro avance
vite. Il se sert de la bicyclette comme d'une trotti-
nette. Le pied droit sur une pédale, il pousse avec
l'autre pied. Il relève son pied libre, se laisse glisser
en zigzaguant entre les passants. Pierre galope derrière lui. Il le suit dans les rues qui enroulent et
déroulent leurs tentacules autour du cœur de la
ville. Il le suit, la peur aux trousses, persuadé de
s'être acoquiné avec un voleur. Si on les prenait ?
On l'extraderait bien vite du pays. Adieu les repor-
tages, adieu la course autour du globe, adieu sa carrière. À quoi pense cet homme de l'impliquer dans
ses histoires, pourquoi l'a-t-il choisi, lui ?

S'il continue de lui emboîter le pas, c'est surtout pour avoir des réponses à ses questions.

Hiro ralentit pour s'arrêter, finalement, près d'un ruisseau à l'haleine fétide. Le souffle court, Pierre explose :

– Qu'est-ce qui t'a pris de m'entraîner dans cette affaire ? Voler une bicyclette, c'est grave.

– Je ne l'ai pas volée, je l'ai empruntée.

Si la réponse le déconcerte, les explications que lui fournit Hiro achèvent de le dérouter. Apparemment, les gens d'ici se font fréquemment voler leur bicyclette. Mais voler n'est pas le mot juste, on dit plutôt « emprunter ». Certaines personnes, donc, se servent avec un sans-gêne ! Quand, pour une raison ou pour une autre, elles éprouvent le besoin de se déplacer à vélo, elles s'emparent de la première bicyclette sur leur chemin. Une fois arrivées à destination, elles l'abandonnent dans une rue, n'importe où. Lorsque le vélo n'a pas été déplacé depuis une semaine, les autorités de la ville le ramassent. Elles le garent dans quelque espace libre. Des milliers de bicyclettes pourrissent ainsi dans les terrains vagues. « Alors, conclut Hiro, si par malheur on a emprunté la tienne, c'est simple, tu vas en chercher une autre. »

Pierre ne se sent pas convaincu.

– Pourquoi t'es-tu enfui après avoir pris la bicyclette ?

– Ah ! mais, tu comprends, seulement la moitié de la population est au courant de cette…euh, de cette pratique. Il y a des gens qui s'achètent une bicyclette neuve chaque fois qu'on emprunte la leur. Les imbéciles! Eh bien! qu'en dis-tu? C'est un bon sujet pour ton reportage.

– Hum… j'en doute.

Trop gros, trop dangereux, pense Pierre. Si on le prenait au sérieux, et s'il est vrai que la moitié de la population ignore ces façons d'agir, de mettre à jour cette histoire risquerait, à la limite, de provoquer un incident diplomatique. Lui-même ne sait plus ce qu'il doit croire. Ce pays plein de contradictions, tout en demi-ton, est un tableau aux couleurs pastel qu'il lui coûte d'éclabousser de l'encre mesquine du scandale.

Il vaut mieux chercher ailleurs, mais où?

✸

Il ne lui reste plus que deux jours avant de reprendre l'avion. Il n'a pas encore trouvé le sujet de son reportage. Hiro le trimballe d'un quartier à l'autre. Sans succès. Des sujets, Pierre en a évalué plusieurs. Tantôt il les juge trop agressifs, tantôt il s'effraie de ce qu'ils portent en eux le germe d'un changement. Il y a aussi les autres, les sujets transparents. Ceux-là, il passe sans les voir. Il n'en soupçonne même pas la valeur.

Il commence à se sentir dans l'eau bouillante, il peste sans arrêt contre ces « stupides échéances ».

On lui demande de produire sur commande; a-t-il l'air d'un robot? Son âme d'artiste se révolte. Il s'empare de l'excuse : il travaille mal lorsqu'on l'y contraint.

Alors il arrive ce qui devait arriver. Il filme la première chose qui lui tombe sous les yeux. C'est au coin d'une rue, un bâtiment orné d'immenses couronnes. Hiro lui a expliqué la signification de ces grands cercles aux couleurs vives. Ils annoncent l'ouverture prochaine d'un commerce.

Pendant qu'il filme, des gens sortent du bâtiment. Ces figurants surgissent au bon moment. Ils vont ajouter une touche d'authenticité à son reportage. Pierre commente les images du ton légèrement forcé des reporters amateurs. « Voyez, dit-il, l'élégance très sobre de ces hommes et de ces femmes d'affaires. » En réalité, il n'y a qu'une femme. Il ferait bien de la dédoubler, car on ne sait jamais sur quel juge il pourrait tomber; l'une de ces féministes capable de lui donner une mauvaise note simplement parce qu'il n'y a pas assez de femmes dans son reportage. Il sort de son étui la lentille spéciale. Multiplier les personnages n'a rien de sorcier pour qui connaît les rouages du métier. Il règle la lentille, les femmes apparaissent. Par un effet de kaléidoscope, elles se tiennent à différentes hauteurs, formant ainsi une figure, une étoile ou une fleur. Elles se ressemblent comme des poupées fabriquées en série, mais de loin, on n'y verra que du feu.

Les hommes se rangent en procession le long du trottoir. Les femmes restent dispersées, tout en marchant d'un pas parfaitement synchronisé. Elles transfèrent leur sac à main du bras gauche au bras droit, elles s'inclinent pour saluer un patriarche (il lui faudra améliorer les effets spéciaux).

Une voiture s'avance, joliment décorée. Elle est surmontée d'un faux toit, semblable à celui des pagodes, un beau toit doré qui brille au soleil.

Ils ont mis le paquet, se dit-il. Une parade, des chars allégoriques... Il appuie plus fort sur la gâchette de sa caméra. Ne pas perdre un instant de cette précieuse scène.

Hiro, qui l'avait laissé seul, le temps d'aller s'acheter des cigarettes, revient en courant. Il s'élance dans le champ visuel de la caméra. « Coupé, coupé! » ordonne-t-il.

— Ôte-toi de là! s'impatiente Pierre.

— Tu n'as donc aucune pudeur pour filmer ces gens; tu manques à ce point de savoir vivre?

— Hein? L'ouverture d'un commerce, c'est un événement public, que je sache.

— Un évé... Tu n'as rien compris. Regarde par là.

Levant les yeux de sa caméra, Pierre dirige son regard vers l'endroit indiqué. Il voit quatre hommes sortir de l'immeuble. Ils portent un cercueil. Ce qu'il voit et ce qu'il a vu prend alors un tout autre sens.

La famille et les connaissances attendent le long du trottoir, elles se préparent à se rendre aux funérailles d'un père, d'un mari, d'un ami. Le corbillard s'immobilise devant l'immeuble. L'or du toit contraste étrangement avec les habits sombres des assistants. D'un geste discret, la seule femme présente se tamponne les yeux.

Il a agi en voyeur. L'œil impudique de sa caméra a surpris un drame, l'a enregistré sans ciller dans ses moindres détails.

En réfléchissant à la chose, le soir, dans sa chambre d'hôtel, en pesant bien le pour et le contre, il décide de garder la première version de son film. De toute façon, le mal est fait. Ces gens ne sauront probablement jamais qu'il les a filmés. Absorbés par leur deuil et toutes ces questions qui entourent la mort, ils ne l'ont sans doute pas remarqué.

Il expédie son travail tel quel. Une semaine plus tard, à son arrivée en Thaïlande, il reçoit la réponse des juges. Ils lui ont unanimement accordé neuf sur dix pour son reportage. Une seule ligne motive leur décision : « un reportage tellement vrai ! »

La daruma

L'ONCLE de Miho lui a acheté une daruma, l'une de ces poupées taillées tout d'un morceau. On dit poupée, mais ces figurines n'ont que la tête, un masque grotesque qui fait peur aux jeunes enfants. Miho a dépassé le stade de la peur. Elle sait que les darumas existent pour servir les intérêts des gens. On les achète aveugles; deux cercles blancs marquent l'emplacement des yeux. Avec un feutre noir, on leur dessine la pupille gauche. Si elles désirent mieux voir, elles n'ont pas le choix, elles doivent exaucer le vœu du maître, leur propriétaire. C'est seulement alors que ce dernier dessinera l'autre pupille. Un chantage, œil pour œil, dent pour dent.

L'oncle de Miho prend une photo d'elle au pied d'une montagne de darumas. Un cimetière, si l'on veut. On a jeté là, pêle-mêle, les poupées de l'an dernier. Elles seront incinérées demain. Miho

se retourne vers le tas. Les vieilles poupées, sourcils
froncés, lui jettent des regards effrayants, les insoumises qui n'ont qu'un œil, comme les autres qui
s'indignent de l'ingratitude des maîtres. Rendue
téméraire par la présence de son oncle, la petite fille
leur tire la langue.

Les marchands ont dressé sur la place des
kiosques de fortune. Leurs voix s'élèvent pour faire
concurrence à l'étalage du voisin. Le ton monte, on
négocie. Un commerçant, en signe de prospérité (la
chance, la richesse attirent toujours les clients), a
glissé sous son bandeau une liasse de billets.
Déployés en éventail sur son front, ceux-ci agissent
sur la foule tel un aimant. On se presse autour de
lui. Le bonheur subit les fluctuations du marché.

Des darumas, on en fabrique de tous les prix,
pour tous les goûts. On trouve des modèles pour
les ambitieux. Ils ont la même hauteur que les
bouddhas dans les temples. La plupart des
modèles, néanmoins, présentent des dimensions
plus raisonnables, en accord avec des projets plus
réalistes. Quand on a déterminé le prix et la grosseur de son vœu, il s'agit de scruter les visages des
poupées. Il n'y en a pas deux semblables. Elles pos-
sèdent chacune leur personnalité. Il y a les dédai-
gneuses qui retroussent la lèvre. Celles-là, on les
choisit en dernier. Leur attitude laisse craindre un
manque de générosité. Il y a les grognonnes aux
sourcils épais et broussailleux ; il ne faut pas s'y

fier; elles ont souvent bon cœur. Les distinguées
portent la moustache.

On tente d'accorder son caractère avec celui
d'une daruma et vice-versa. Le but ultime : former
le couple idéal, dans l'espoir toujours de s'attirer la
sympathie des dieux. On flatte les darumas, on les
courtise. Quelle est celle qui saura le mieux intercé-
der en faveur de son propriétaire ?

Les marchands s'emplissent les poches. Les
poupées sans bras et sans jambes ont pleine autorité
sur la foule. Miho, qui n'a pas encore saisi toutes les
subtilités mercantiles qu'entraîne ce genre de commerce, croit au pouvoir illimité de la minuscule
idole dans son sac.

Avant de rentrer, la famille décide d'aller saluer
le vieux monsieur Usawa, le grand-père de Miho.
Le cortège des tantes, des oncles et des cousins
s'ébranle en direction du bas de la ville.

« J'ai faim », chuchote Miho à son oncle.
Aussitôt, ce dernier décrète un arrêt. Ils achètent des
épis de maïs rôtis dans l'une des échoppes qui ont
poussé en une seule nuit sur les lieux de la fête. Ils les
mangent sur place, puis reprennent leur route. Les
cousins de Miho, deux garnements qui malmènent
sans cesse leur mère (Miho les a vus plus d'une fois
lui asséner des coups), dévalent la pente en courant.
Miho reste sagement près de ses parents.

Les boutiques et kiosques temporaires s'éche-
lonnent le long de la côte. Des centaines de darumas

bordent la route. Avec leur capuchon rouge, elles ressemblent à des lanternes. Elles fixent sur l'avenir un regard blanc.

De leur bûcher, les anciennes idoles observent la scène d'un air cynique. Les insoumises percent de leur œil unique la nuit qui descend sur le marché aux illusions.

Le grand-père de Miho habite l'une des plus vieilles rues de Kawagoe. Il y tient une boutique de fruits et légumes. Dans ce quartier où le Moyen Âge côtoie l'époque moderne, les maisons grises se referment sur les rues, devenues d'étroits passages. Les façades des bâtiments sont percées de toutes petites fenêtres. Rien, des murs épais ou des silhouettes trapues de ces habitations, ne laisse deviner ce qui se cache à l'intérieur : la fragilité des écrans de papier, les collections de poupées enfermées dans des armoires vitrées.

Témoin d'une guerre oubliée, une tour de guet hante les lieux. Entièrement faite de bois, elle s'élève péniblement vers le ciel. Elle ne sert plus désormais qu'à piéger les touristes. Elle les attire grâce à sa haute stature. À intervalles réguliers, sa porte claque derrière eux.

Grand-père Usawa les accueille cordialement, mais sans effusion. Il les invite à prendre le thé. Ils passent dans l'arrière-boutique. Avant de les suivre, le vieil homme ordonne à ses employés de fermer boutique. Il revient ensuite vers sa famille : ses fils,

sa fille, leurs conjoints, sans oublier ses petits-
enfants. Il est impossible de savoir, à son air, si cette
visite l'ennuie ou le réjouit.

Miho regarde, fascinée, l'oiseau perché sur
l'épaule de son grand-père. Elle se demande s'ils
dorment ensemble. Elle ne se souvient pas de les
avoir vus séparés l'un de l'autre. Les excréments
d'oiseau, sur la vareuse de son grand-père, ne doivent pas paraître très appétissants aux clients.

Ils prennent tous un siège. Au bout de
quelques instants, une employée de la boutique
apporte le thé. Madame Usawa mère est décédée,
l'an dernier, des suites d'un cancer à l'estomac.
L'employée remplace de son mieux la maîtresse de
maison. Elle vide le thé dans de petites tasses sans
anse. Les hommes boivent du saké.

Miho se tient sagement assise sur sa chaise. De
temps en temps, ses cousins, en passant près d'elle,
lui tirent les cheveux. La fillette ne dit rien ; elle est
trop bien élevée pour cela. Elle écoute converser les
plus vieux. Il y a beaucoup à apprendre d'eux, surtout lorsqu'ils oublient de se méfier. Elle se fait
toute petite. Les adultes parlent sans se douter que
les murs ont des oreilles.

Pendant que le grand-père se ramone le nez
d'un doigt râpeux, son grand cousin Masame capte
l'attention en racontant des histoires d'horreur sur
les étrangers. Un couple de Blancs vient d'emména-
ger dans l'édifice où il habite. Avant-hier, ses amis et

lui jouaient tranquillement au mah-jong. Ils ne
dérangeaient personne. Or, voilà qu'on frappe à la
porte. Masame et ses amis n'attendent personne.
Dehors, on crie, on tambourine de plus belle sur la
porte. Personne n'ose répondre, ils ont peur. Ils
reconnaissent la voix du Blanc. Il a l'air très en
colère. Il hurle quelque chose du genre : « arrêtez ce
boucan, on veut dormir ! » Ils se taisent, attendent
que l'orage se calme. Le lendemain matin, les étudiants de l'édifice envoient une délégation au propriétaire. Oui, admettent-ils, ils font parfois du
bruit, tard dans la nuit. Ils sont prêts à cesser, à la
condition que l'incident de la nuit dernière ne se
reproduise pas. Ils ne savent pas comment réagir
devant un individu qui, apparemment, ne maîtrise
plus ses émotions. Dans les films américains, on voit
des tas de psychopathes armés jusqu'aux dents ; comment savoir si leur voisin n'appartient pas à cette
catégorie de gens ? On ne connaît pas grand-chose de
ces étrangers, sinon ce que nous en présentent les
films, la télévision. Cette vision n'a rien de rassurant.

Masame et ses amis ont promis de se montrer
plus raisonnables, d'éteindre plus tôt, tout ce qu'on
voudra, pourvu qu'ils n'entendent plus ces cris
insensés.

Le grand-père arrête un instant de se fouiller
dans le nez.

— Avez-vous remarqué, dit-il, que les Blancs,
lorsqu'ils se désignent, pointent le doigt en direc-

tion de leur poitrine. Mauvais signe, ça; ils se pointent le cœur plutôt que la tête. Ils ne pensent pas d'une manière rationnelle. Dangereux, ça, très dangereux.

Sans cesser d'écouter la conversation, Miho tire la daruma de son sac. Au bruit de papier froissé, le grand-père se rend enfin compte de sa présence. Pour être gentil, il lui adresse quelques mots. La mère de Miho songe, non sans éprouver un peu de jalousie, qu'il ne s'est jamais montré aussi aimable envers ses enfants, envers elle en particulier. Le vieux devient sentimental en vieillissant.

— Tu es grande maintenant, dit-il à sa petite-fille, tu as ta propre daruma. As-tu choisi un souhait?

— Pas encore.

— Réfléchis bien. Quand tu fais un vœu, tu ne dois pas seulement tenir compte de tes intérêts personnels. Il faut que tu penses à ce qui serait bien pour tout le monde.

Miho se demande si l'achat d'un kimono, pareil à celui de son amie Yoko, profiterait à sa famille. Sans doute, puisque les siens auraient le plaisir de l'admirer dans ses beaux atours lors des événements importants.

Au jour de l'an, la mère de Miho a sorti son kimono plein de dorures. La veille, elle s'était rendue au salon de coiffure, sachant que ce commerce serait fermé le lendemain. Miho, qui l'accompagnait, l'avait attendue en mangeant des gâteaux. À force d'ajouter des postiches, des fleurs, des décorations en forme d'arche ou d'éventail, la coiffeuse avait réussi une superbe pièce montée. Miho ne se lassait pas d'admirer le chef-d'œuvre. Le lendemain, la mère de Miho avait des cernes autour des yeux. Elle avait dormi assise contre le mur, pour ne pas déranger sa belle coiffure. En ce jour de réjouissance, la belle-sœur de madame Usawa était venue proposer ses services d'habilleuse ; revêtir le costume traditionnel n'était pas une mince affaire. Elle avait aidé la mère de Miho à s'envelopper dans plusieurs couches successives de sous-vêtements et de bandes de tissu destinées à amoindrir, pour ne pas dire à faire disparaître complètement, les formes de son corps. Miho avait assisté à ce rituel, se comportant avec un sérieux exemplaire. Elle n'avait posé, à la toute fin, qu'une seule question : pourquoi sa mère portait-elle un coussin à l'arrière plutôt qu'une boucle ? Les boucles, à son avis, étaient plus jolies. Mme Usawa avait ri, la main sur la bouche, comme pour censurer cet éclat de gaieté. « Je suis une femme mariée, pas une célibataire. Mais toi, Miho... »

Miho, qui ne porte plus attention aux adultes, rêve d'un kimono orange avec une immense boucle à l'arrière.

❊

Les derniers jours des vacances d'hiver s'écoulent paisiblement. Bientôt, il faudra retourner en classe. Son père devra regagner le Sud où il travaille (il n'en reviendra qu'une ou deux fois par mois). Sa mère reprendra les cours d'anglais qu'elle suit avec une voisine pour se distraire.

L'anglais; on lui rabat les oreilles avec cette langue. Miho n'y voit qu'un chaos où se heurtent les sons les plus étranges. Pour monsieur Usawa, ce charabia représente une porte ouverte sur le monde, mais surtout, des possibilités d'avancement. La mère de Miho associe l'anglais aux voyages. Une frivolité, une mode également. Toutes ses amies l'apprennent, elle se laisse porter par la vague. Le regard bleu délavé du professeur contribue, dans une large mesure, à maintenir l'intérêt de ces dames.

Ils mangent tôt pour permettre à Miho de regarder son émission de télévision favorite. La table basse, en plus de son utilité fondamentale, sert de chaufferette. Un élément, fixé sous la plaque amovible du dessus, leur chauffe les pieds. Une couverture aide à retenir la chaleur.

On traverse l'hiver avec des moyens de fortune. Sa courte durée ne semble pas justifier l'installation de systèmes trop coûteux. On choisit plutôt d'endurcir son corps. Les étudiants troquent leurs uniformes pour des habits à peine plus chauds. Les petits garçons s'ébattent en culottes courtes dans les parcs, derrière les écoles. En général, on fait comme si l'hiver n'existait pas.

Le bout du nez froid, mais les pieds bien au chaud, la famille Usawa termine son repas. On passe au salon, à deux pas de la table. Miho regarde son émission préférée : « Les aventures de Mariko », une gamine espiègle et délurée, la vedette du moment au Japon.

Ses parents s'amusent des répliques du personnage qui a le don de la répartie. Forte de son statut de dessin animé, Mariko prend des libertés qu'on admettrait sûrement moins bien venant d'une vraie petite fille.

Monsieur Usawa attend la fin de l'émission pour avoir une discussion avec Miho. À l'exemple de milliers d'autres téléspectateurs, il respecte « l'heure Mariko ». Mais là s'arrête l'ascendant de la jeune héroïne sur les foules. Les parents, en particulier les pères, ne craignent pas qu'elle ait une mauvaise influence sur leurs filles. Leurs enfants, croient-ils, savent très bien faire la différence entre la réalité et un dessin animé.

La dernière note du thème musical envolée, monsieur Usawa ferme le poste de télévision.

– Miho, prononce-t-il sur le ton cérémonieux des grands discours, il est temps que tu prennes tes études au sérieux. Il faut, dès à présent, que tu te prépares à entrer dans une bonne université. Savoir l'anglais serait pour toi un atout considérable. Alors voilà, j'ai engagé un professeur pour te donner des leçons privées. Monsieur Kork, oui, le même qui enseigne à ta mère, monsieur Kork, dis-je…

— Excusez-moi d'interrompre cette discussion, intervient timidement la mère de Miho, mais il ne s'appelle pas « Kork », il se nomme « York », Edwin York. Irving Kork, c'était le professeur précédent.

Le père de Miho retient un mouvement d'impatience. En plus de se ressembler, les étrangers portent des noms presque identiques et, de surcroît, difficiles à prononcer.

— Edwin York, reprend monsieur Usawa, est un spécialiste dans son domaine. Il saura te guider sur les chemins de la connaissance. Nous nous sommes déjà entendus au sujet de l'horaire. Tu iras le voir deux fois par semaine, le mardi et le jeudi, après la classe.

Monsieur York, un étranger, un *gaijin*! Ses parents n'ont-ils pas entendu ce qui s'est dit l'autre jour chez grand-père Usawa? N'ont-ils rien retenu des propos de Masame? Un étranger, un démon! Ou bien ils sont inconscients, ou bien ils ont résolu d'offrir leur fille en sacrifice.

✳

Miho pose la daruma sur le sol, près de son oreiller. Par souci d'économie (on n'a droit qu'à un souhait, il ne faut pas le gaspiller), elle a attendu pour faire son vœu. La situation, toutefois, exige des mesures d'urgence. Avec un feutre noir, elle trace la pupille de l'œil gauche. La daruma fronce les sourcils. Un peu plus et elle tirerait la langue. Une langue fourchue, car elle ressemble à un mauvais génie. Ses moustaches frisent de malice. Ce visage empourpré : le loup déguisé en chaperon rouge.

La daruma plisse un œil d'un air rusé. L'autre œil, un cercle blanc, reste comme un mystère, un trou béant sur l'avenir.

Miho ne distingue plus très bien ses intérêts de ceux de sa famille. Ce serait certainement un soulagement pour tout le monde si le *gaijin* venait à disparaître. Que l'étranger s'éloigne. Rien de mieux qu'un démon pour en chasser un autre.

La daruma en fait trop. Ses grimaces effraient Miho qui ne parvient pas à s'endormir. La petite fille éloigne la poupée. Elle la place au pied de son futon. Un moment plus tard, elle la recule encore de quelques pas. Se levant pour la troisième fois, elle finit par la fourrer sous un oreiller de riz, au fond du placard à futon. Pour se protéger des démons, elle sollicite l'intervention des sept dieux du bonheur. Ils sont réunis sur un même coussin, sept figurines à peine plus grosses que des têtes d'épingle. Des dieux ronds, bien nourris. Ils affectent de méditer pour mieux digérer les nombreuses, les généreuses offrandes. Il sont tous pareils ! Même ce vieillard au crâne pointu, à la barbe qui se termine également en pointe. Ils trompent les gens

avec leurs allures de sage. Pendant qu'ils cuvent leur
vin, du moins ils ne songent pas à mal. Impuissants
peut-être, mais pas nuisibles.

Le coussin fait une tache rouge sur son oreiller.
Miho se sent rassurée par la présence des dieux
miniatures. Elle s'endort. Ils la veillent dans un état
de somnolence provoqué par une digestion de plus
en plus fastidieuse. Il est dur d'être éternellement
vieux et bedonnant.

❁

Le professeur vient l'accueillir. Il a loué ce local
où il égrène son savoir, au coût de soixante dollars
l'heure. Le *gaijin* porte des pantoufles en vinyle. Il
marche en se traînant les pieds. Miho se choisit des
pantoufles parmi l'assortiment disponible à l'entrée. Elles sont froides, elles la glacent. Moins,
cependant, que le *gaijin*.

Monsieur York a les cheveux jaunes et les yeux
de la même couleur qu'un ciel chauffé à blanc. Sa
chemise de flanelle ressemble à une veste de
pyjama. C'est peut-être son pyjama d'ailleurs, allez
savoir! L'homme a l'air tellement perdu. Son regard
surtout; terne, malade.

Tête baissée, Miho suit les grands pieds du *gaijin* derrière un paravent. De l'autre côté de cet écran,
se trouve une table. On y a disposé des livres, des
cahiers d'exercices. Le local est bien éclairé. Il y a des

fenêtres sur trois côtés, de larges panneaux de verre givré. Le vent les ébranle facilement; un tout petit souffle et ils tremblent dans leur cadre de métal.

Son professeur l'invite à s'asseoir près de la chaufferette. Celle-ci dégage une odeur de kérosène qui soulève un peu le cœur. C'est égal, après le froid du dehors, elle apprécie d'être assise à proximité d'une source de chaleur. On pousse parfois un peu loin le fait d'ignorer l'hiver. En se rendant ici, Miho a encore vu une fille, la chevelure mouillée. Elles sortent de la maison tête nue, juste après s'être lavé les cheveux. Souvent, elles attrapent la grippe. Elles la transmettent à leur famille. Dans les salles d'attente des cliniques, des familles entières patientent pour voir un médecin. Pas le médecin habituel. Un nouveau. L'autre a failli dans sa tâche de les préserver de la maladie.

Le *gaijin* ouvre un cahier d'exercices. La leçon commence. Monsieur York lui demande de quelle couleur sont les yeux et les cheveux de sa mère, de son père, de ses amis. « Noirs », répond invariablement Miho. Dans le cahier de l'étranger, il y a vraiment de drôles de questions. Elle ne voit pas où les mène cet interrogatoire. Elle s'y soumet néanmoins, en bonne élève. Quand elle répond correctement, monsieur York lui donne des bonbons. C'est facile!

Ils ont épuisé les questions du premier chapitre intitulé : « Faire connaissance ». Le professeur repousse le cahier. Il lui dit au revoir d'un air distrait.

Miho referme doucement la porte de l'école.
Elle s'attendait à plus de mystère, imaginait l'étranger plus tordu, plus laid, plus démoniaque. Elle
éprouve la même déception que ces curieux lorsqu'ils découvrent, en assistant à un procès, que le
meurtrier est en réalité un monsieur tout à fait
ordinaire.

❈

Elle apprend la nouvelle le jeudi suivant, en
rentrant de l'école.

— Miho, nos cours d'anglais viennent d'être
annulés. Monsieur York est retourné dans son pays.

Madame Usawa paraît aussi désolée que si elle
avait cassé un beau vase.

— Monsieur York, explique-t-elle à sa fille, ne
s'est jamais complètement remis du choc culturel.
Il est demeuré pétrifié.

Miho ne ressent pas le plaisir attendu, cette
annonce la laisse quasi indifférente. L'étranger
n'était pas si terrible ; il l'a fait asseoir au chaud, il
lui a donné des bonbons.

Avant de se coucher, elle va chercher la
daruma : un pacte reste un pacte. Elle dessine l'autre
pupille, la droite. Son stylo feutre n'écrit presque
plus. Elle le mouille avec sa langue.

La daruma l'observe d'un œil embué.

Une frange à la Frankenstein

L ES CERISIERS en fleurs joignent leurs branches au-dessus de l'avenue du Temple. Les jeunes filles avancent en souriant dans l'allée. À leur droite, le cimetière déborde de son enclos, devenu trop étroit. Quelques pierres tombales traînent hors des murs.

Sous les cerisiers, des bancs sont disposés. Les personnes âgées viennent s'y asseoir. On dirait qu'elles attendent de franchir la barrière des vivants. Au fond du jardin sacré, se dissimulent des bâtiments aux toits recourbés. Adossée à l'un d'eux, dans une petite niche, une statue portant une bavette rouge évoque les enfants morts en bas âge. Junko et ses amies passent sans la regarder. Elles traversent le parc du temple tous les jours en revenant de l'école. Les lieux, les objets leur sont si familiers qu'elles ne les voient plus.

Elles se ressemblent avec leurs uniformes bleus et leurs cheveux tressés. Elles échangent des

propos légers. Seule Junko, qui d'ordinaire se
mêle à leurs bavardages, demeure taciturne. Elle a
rendez-vous avec un homme ce soir. Cette situation la rend songeuse. Sa tante, la plus jeune sœur
de sa mère, a organisé la rencontre. Si l'homme lui
plaît, ils se reverront. Les fréquentations dureront
un an, deux ans peut-être. Puis ils se marieront. Il
a vingt-huit ans, elle en a dix-neuf. La tante de
Junko lui a expliqué qu'il importe pour lui de se
marier s'il veut obtenir un meilleur poste au sein
de sa compagnie.

Junko n'est pas particulièrement contre ce
mariage, elle n'est pas particulièrement pour non
plus ; tout dépendra du prétendant. Les femmes
modernes, se rassure la jeune fille, ont le choix de
dire non. Les choses évoluent : la preuve, on a fait
tout un boucan, l'autre jour, autour de cette histoire de glace. Des compagnes de Junko s'étaient
acheté une glace en revenant de l'école. Elles
avaient eu le culot de la déguster dans la rue. Un
journal local, en mal de nouvelles, avait rapporté
l'incident. L'événement avait pris des proportions
inattendues. Il était devenu, sous la plume d'un
éditorialiste, le symbole de la décadence des mœurs
japonaises. Pensez donc, manger dans un endroit
public ; quoi de plus mal élevé ? « Les jeunes ne res-
pectent plus rien » avait écrit l'éditorialiste. « On les
verra bientôt s'empiffrer de sushi dans le métro, ou
bien alors, se promener dans les boutiques de vête-

ments, un bol de nouilles à la main. Où s'en va notre jeunesse, où s'en va notre monde? Nos belles traditions courent à leur perte. »

Le grand-père de Junko, un homme extrêmement conservateur, avait goûté ces propos alarmistes. Il avait montré l'article à ses petits-enfants. Il en avait profité pour leur servir une harangue sur le manque de tenue des jeunes. Junko l'avait écouté d'une oreille plus polie que convaincue. Elle croyait lire entre les lignes que la société se transformait, que ces changements risquaient de tourner à son avantage.

Les étudiantes longent un terrain de jeu. De jeunes mères y amusent leurs enfants. Elles portent elles aussi un uniforme, un grand tablier qui leur tombe jusqu'aux chevilles. Junko pense à sa mère. Elle se demande si elle aimera jouer son rôle. Si ses parents désirent qu'elle se marie et si l'homme lui plaît, bien sûr, elle leur obéira. Pourtant elle s'intéresse à ses études. Elle fréquente l'école du soir, en plus de se rendre à ses classes régulières pendant la journée. Depuis des années, elle se prépare à entrer dans une bonne université « au cas où », comme sa mère le lui répète souvent. Elle a investi tellement d'efforts dans ce but. Elle considère qu'abandonner ses études maintenant, surtout ses leçons de musique, représenterait un énorme gaspillage.

Une femme en tablier se rapproche et les dépasse, un gamin à ses trousses. Les autres mères quittent également le parc, mues, pourrait-on croire, par un mystérieux signal. Elles suivent l'horaire, leur vie réglée à l'avance. Cette vie comporte le luxe réconfortant de la sécurité, le luxe des amitiés entre voisines, le luxe de s'ennuyer. Elle vaut d'autres vies, lui dirait sa mère.

Le groupe s'arrête devant la maison de Junko.

— On te voit plus tard à l'école du soir ?

— Non, j'ai un rendez-vous.

— Ah ! c'est vrai !

Ses amies s'éloignent en ricanant. Junko traverse le jardin minuscule en deux enjambées. Les roches, les fleurs, les arbres taillés d'une main d'artiste ; chaque chose occupe la place qui lui convient. Partout autour d'elle, l'ordre triomphe. L'entrave à la routine, c'est-à-dire la permission de ne pas aller à l'école du soir, paraît d'autant plus extraordinaire.

Junko dépose son sac dans l'entrée. Elle file s'asseoir au piano. Les notes résonnent dans la pièce étroite.

La mère de Junko se faufile derrière le piano. Les termes « inodore » et « incolore » s'appliquent très bien à sa personne. Si elle passe le plus souvent inaperçue, son sourire désincarné, disponible à perpétuité, s'accommode des pires situations, même de celle d'être ignorée.

La jeune fille s'arrête de jouer.

— Je crois que j'aurais aimé enseigner la musique.

– Junko, tu devrais te préparer, lui répond sa mère.

La chambre, une fois les futons rangés, paraît vide. Un bureau et une table basse ont été poussés contre le mur pour laisser le centre de la pièce dégagé. On y déroule les matelas chaque soir. Habituellement, Junko aide sa mère dans cette tâche.

Elle espère rentrer assez tôt pour participer à la corvée.

Elle enfile un tailleur bleu, de la même couleur que son uniforme d'école. Dans ses cheveux elle pique, suprême coquetterie, un peigne en forme de papillon. Les ailes de nacre, en chatoyant, donnent l'impression d'être en mouvement. Mais le bel insecte a beau battre des ailes, il reste rivé à la chevelure noire.

Mme Mori vient inspecter la toilette de sa fille.

– Tu as les cheveux trop longs, Junko. Ils te cachent les yeux.

– Ce n'est pas important.

– Au contraire, murmure sa mère.

Celle-ci sort de la pièce pour reparaître aussitôt avec une paire de ciseaux. Elle coupe d'une main sûre de prestidigitateur. La frange de cheveux raccourcit de façon alarmante. Les yeux, les sourcils, le front presque en entier apparaissent.

Son visage dégagé ressemble à la pleine lune. Elle constate les faits objectivement. L'entêtement de sa mère à vouloir lui couper les cheveux la

trouble davantage que les résultats de cette opéra-
tion. Pourquoi se passionne-t-elle pour une question aussi banale, elle qui accepte tout sans ciller ?

Yuki, le petit frère de Junko, rentre de l'école.
Sa présence bruyante emplit la maison. Il passe la
tête dans chaque pièce à la recherche de sa mère.

— Ah ! vous êtes là ! dit-il en les voyant. Junko,
quelle drôle de coiffure ! Tu as une frange pareille à
celle de Frankenstein.

Sa sœur accueille le commentaire calmement.
Elle ne connaît pas ce Frankenstein. « Une frange à
la Frankenstein » ; elle suppose qu'il s'agit d'une
expression à la mode. Comme les intérêts de son
frère gravitent autour des monstres et des films
d'horreur, elle se doute que la remarque n'est pas
flatteuse.

❉

« Junko, voici Takashi Watabe. » L'homme
s'incline dans sa direction. Elle se penche à son
tour. Rivalisant de politesse, ils plongent en une
série de révérences. Combien de fois doit-elle s'in-
cliner pour respecter le protocole ? Elle se penche
encore à deux ou trois reprises pour être certaine de
ne pas manquer aux usages. Elle perd la tête ainsi
que le compte de ses saluts.

Sur le quai opposé, un train décharge des passagers, des hommes en complet noir, des femmes

traînant leurs emplettes. La foule se dirige en bloc vers la sortie.

C'est bien que nous soyons un soir de semaine, pense Junko. Les gens ne vont pas à Tokyo, ils en arrivent. Nous voyageons à contre-courant.

Son oncle et sa tante, les présentations faites, se sont avancés au bord de la plate-forme, de manière à laisser au couple un semblant d'intimité. Takashi tente une entrée en matière. « Vous aimez les... » Le reste de ses paroles se noie dans le vacarme provoqué par l'arrivée de leur train.

Vous aimez les quoi?, se demande la jeune fille tandis qu'elle choisit un siège. La phrase demeure sans suite. Le bruit les dispense de faire la conversation.

L'oncle et la tante les ont précédés. Assis l'un en face de l'autre, les deux couples évitent de se dévisager. Ils observent autour d'eux. Si par hasard leurs regards se croisent, un chassé-croisé de sourires s'ensuit. Parfois ils baissent les yeux, bercés par le mouvement du train. Si leur regard devient fixe, c'est qu'ils se livrent à quelques réflexions intérieures.

Le conducteur annonce les stations d'un ton monocorde. Sa voix ne s'interrompt jamais longtemps. Il s'agit d'un train local.

Un étudiant somnole, appuyé sur l'épaule de son voisin qui somnole lui aussi, la tête sur l'épaule d'un autre voisin. La chaîne de dormeurs fait presque toute la longueur du wagon.

Takashi reste droit, comme engoncé dans ses principes. Il suit d'un œil morne le défilé des toits.

Junko juge son prétendant ni plus ni moins attrayant que les jeunes hommes de son école. Rassurée (elle sait désormais à quoi s'en tenir), elle lutte contre l'envie de poser sa tête sur l'épaule bien rembourrée de sa voisine. Heureusement, ils atteignent leur destination.

En sortant dans la rue, Takashi hèle un taxi. L'oncle et la tante, plus économes, protestent :

— Prendre un taxi coûte si cher !

— Nous pourrions nous rendre là-bas en marchant. Le restaurant n'est qu'à deux rues.

Mais Takashi insiste. Il confirme, d'un signe, ses intentions au chauffeur. Celui-ci actionne un mécanisme, la porte arrière du véhicule s'ouvre. Plutôt que de provoquer un esclandre, l'oncle et la tante s'engouffrent dans la voiture.

Il essaie de m'impressionner, se dit Junko, tout de même excitée à l'idée de se déplacer en taxi. Elle a rarement l'occasion de s'offrir un tel luxe.

Les sièges sont immaculés. Des napperons, garnis de dentelle, protègent les appuie-tête. Le chauffeur et maître de cet intérieur coquet porte des gants blancs.

Junko se tourne vers la fenêtre. Elle repère un Blanc à bicyclette. Elle le regarde attentivement ; elle regarde toujours les Blancs de cette façon. Oh! sans mauvaise intention, simplement par curiosité. Ils attirent l'œil parce qu'ils sont différents.

L'homme fonce vers une destination connue de lui seul. Elle le perd de vue. Il avait l'air en colère. Comment peut-il se dégrader au point d'exposer ainsi ses sentiments à tout venant? songe-t-elle.

Le taxi s'arrête devant un restaurant qui se vante en gros caractères de servir une cuisine traditionnelle japonaise. Junko aurait aimé que la balade en voiture dure plus longtemps.

Takashi sort nonchalamment un billet pour payer le chauffeur. L'oncle et la tante l'observent d'un œil impassible.

Le restaurant est à moitié plein. À la table voisine, un groupe d'hommes festoie. L'un d'eux porte un toast. Les autres répondent en vidant leur verre d'un trait. Une femme en kimono, apparemment une geisha, remplit de nouveau leurs verres. Tous s'esclaffent.

Takashi parle de son emploi. Junko l'écoute avec des hochements de tête, des sourires polis. Elle lui trouve le front un peu trop large, les cheveux un peu trop courts, le nez un peu trop long.

L'oncle et la tante mangent très vite, le bol avancé sous la bouche. Ils engouffrent la nourriture à un rythme tellement rapide qu'elle leur gonfle les joues.

Malgré son entraînement à demeurer assise, les jambes repliées sous elle, Junko se fatigue d'être dans cette position. Elle sent ses membres s'engourdir.

Les gens commencent à quitter les lieux. Des insectes courent entre les assiettes vides. Personne ne songe à s'en formaliser.

Leurs voisins se lèvent de table. La femme en kimono les suit, emprisonnée dans son carcan de tissu.

Ils vont reprendre le train, en marchant cette fois jusqu'à la station. L'oncle et la tante se jettent un regard entendu ; Takashi, qui a payé le repas de tout le monde, aura mal calculé ses dépenses.

Junko s'interroge. Doit-elle accepter de le revoir ? Le voyage du retour lui donne le loisir de réfléchir à la question.

Ils remontent côte à côte l'avenue du Temple. L'oncle et la tante ont pris congé d'eux à la gare.

Des lanternes illuminent les arbres. Sous les cerisiers en fleurs, les gens mangent et boivent. Ils fêtent l'arrivée du printemps. La tradition la prend par les sentiments. Junko décide de la suivre aveuglément.

❋

— Alors, s'informe sa tante, comment trouves-tu Takashi ?

Bien qu'elle ait résolu d'obéir à ses parents, Junko s'efforce de rester objective.

– Ses cheveux sont trop courts, il a une frange à la Frankenstein, précise-t-elle, croyant employer une expression à la mode.

Sa tante, d'une nature aussi discrète que celle de sa mère, n'insiste pas. Connaissant pour sa part le monstre, elle interprète les paroles de sa nièce comme étant un refus de poursuivre les fréquentations. Le jeune homme, au reste, l'a déçue en faisant étalage de sa fausse richesse. Elle n'abordera plus jamais le sujet avec Junko.

Celle-ci continue actuellement ses études en musique, ses proches n'ayant personne d'autre, pour l'instant, à lui présenter. D'une réserve comparable à celle de sa mère et de sa tante en ce qui concerne la question matrimoniale, Junko n'a pas osé tirer les choses au clair, satisfaite au fond de ce dénouement. Elle ne tenait pas vraiment à se marier. Elle suppose qu'elle a déplu au jeune homme.

Elle se questionne souvent, en revanche, sur le rôle tenu par sa mère dans cette histoire. Elle a été bien prompte à lui couper les cheveux. Qui peut dire l'intention qu'elle avait en posant ce geste?

Junko, dans sa sagesse, a révisé son opinion à l'endroit de sa mère. Makiko Mori n'est peut-être pas une femme aussi incolore qu'elle le pensait.

Milena

MILENA relit la lettre qu'elle a reçue ce matin. Sa mère l'informe des dernières nouvelles, elle lui parle de son patelin, des gens avec qui elle a grandi. Il paraît qu'elle a revu Frederik, l'ancien ami de cœur de Milena. « Nous avons eu une conversation devant la boutique de l'épicier, raconte-t-elle. Il portait des verres fumés, de sorte que je n'arrive pas à me faire une image très claire de lui. Malgré le temps nuageux, il a gardé ses lunettes pendant toute la durée de notre discussion. Ce détail, pourtant sans importance, m'a agacée. Frederik m'a confié être redevenu célibataire à la suite d'un mariage mal assorti avec la fille d'un politicien. En dépit de la situation économique difficile, il semble bien se tirer d'affaire. Tes amies Anna et Nathalia aussi, d'ailleurs. Elles passent me voir régulièrement. Anna a maintenant deux enfants. Elle t'envie de vivre au Japon, *un pays tellement exotique*, pour reprendre ses mots. »

Interrompant un instant sa lecture, Milena médite sur cette dernière phrase. Exotique, le Japon ? Oui et non. Sans doute certaines régions moins développées, à l'écart des grands centres, sont-elles plus pittoresques que d'autres. Quant à la ville de Tokyo, elle a presque entièrement été détruite au cours de la Seconde Guerre mondiale. On l'a reconstruite. Du beau, du neuf, du solide : des bâtiments en béton, des gratte-ciel aux formes extravagantes. Plus récemment, on a vu se dresser, aux quatre coins de la ville, des restaurants McDonald's. Il existe même une version japonaise de cette chaîne archiconnue. On l'appelle « Moss burger ». Ne reculant devant rien, les concepteurs de cette nouvelle chaîne ont poussé l'audace jusqu'à emprunter au célèbre restaurant son arche d'or.

Mais enfin, que s'imaginent les gens ? Qu'on trouve encore sur cette planète des îles désertes, des coins si éloignés qu'ils n'ont pas subi l'influence de la civilisation occidentale ?

« Si tu voyais ta ville natale, continue sa mère ; le visage de notre pauvre Pologne s'est beaucoup transformé ces derniers mois. Le taux de chômage n'arrête pas de grimper. Les usines ferment les unes après les autres. Du jour au lendemain, les gens se retrouvent dans la misère. On peut acheter de superbes villas, des demeures historiques, des châteaux pour une bouchée de pain. »

Ce sombre bilan ne parvient pas à convaincre Milena. La Pologne demeure à ses yeux une terre de prédilection. Elle se prend à évoquer le passé. De vagues regrets l'envahissent.

Frederik : de quoi a-t-il l'air maintenant? Ressemble-t-il davantage à son père en vieillissant? Elle se rappelle un grand garçon maigre, décharné même. À l'époque, son cœur battait la chamade rien qu'à entendre le bruit de sa vieille bagnole. Elle l'aimait à la manière passionnée, un peu folle des adolescents.

Brusquement, elle ressent le besoin de vérifier l'authenticité de ses souvenirs. Elle doit encore avoir quelque part ce portrait de lui. Elle l'avait rangé dans une vieille boîte à chaussures parmi une collection d'objets hétéroclites. La boîte se trouve toujours au même endroit; la photo, toutefois, a disparu. Peut-être l'a-t-elle glissée dans un album? Elle en sort quelques-uns, les feuillette rapidement. Les photos se succèdent, les années fuient à un rythme déconcertant. Elle ne s'attarde sur aucune page jusqu'à ce qu'elle tombe, par hasard, sur cette photographie de vacances.

L'asphalte fumait, le paysage paraissait onduler sous l'effet de la chaleur. Le soleil, ayant atteint son zénith, semblait vouloir y demeurer accroché. Partout, dans les rues et dans les stationnements, les voitures réfléchissaient une lumière blanche comme l'éclair d'une bombe.

Assise sur la chaîne de trottoir, Milena bavardait en compagnie d'une autre étudiante. La caméra a fixé ce moment dans le temps. Leurs jupes à fleurs se confondent, égayant le bitume d'un bouquet insolite. On remarque déjà sur leur peau d'inquiétants reflets roses. Loin derrière elles, flottant au mat d'une école, le drapeau national perce le ciel de son œil rouge. Promesse d'une belle journée ou disque lumineux d'un avertissement ?

Sa copine, une New-Yorkaise, s'appelait Nesley, euh! non; Lesley, enfin quelque chose du genre, un nom qu'on donnerait à un chien dans un film américain. Elles étudiaient toutes deux à la même université à Tokyo, mais en ce début de juillet, elles séjournaient dans le sud du Japon, près de Kagoshima, où elles participaient à un échange culturel.

Milena était au pays depuis environ six mois. Déjà, on l'avait demandée en mariage. Pressentant que l'Américaine n'était qu'une passante dans sa vie, un témoin sans importance, Milena s'était confiée à elle sans réserve.

— Depuis que je suis ici, je pleure tous les soirs, lui avait-elle avoué.

— Ton fiancé de Tokyo te manque ?

— Non, je ne m'ennuie pas de Masahito. Je me sens seulement loin de chez moi, encore plus loin que lorsque j'étais à Tokyo. J'ai l'impression d'être sur une péninsule, au bout de la dernière des îles. De tous côtés, je suis cernée par la mer. Quand j'y

pense, la panique me gagne. J'ai peine à me contrô-
ler. Et les gens d'ici… J'ai essayé de m'habituer à
leurs coutumes, je n'y arrive pas. Des tas de choses
m'agacent. Pour commencer, les Japonais m'adres-
sent toujours la parole en anglais. Ils me croient
sans doute incapable d'apprendre le japonais.

— À mon avis, ils cherchent simplement à te
faciliter les choses. L'anglais est une langue interna-
tionale et…

— S'il n'y avait que ça! Mais il y a les parents de
Masahito, mes futurs beaux-parents. Leur sourire
continuel : un masque. Je ne sais jamais à quoi
m'attendre d'eux. Et puis le comportement de mon
beau-père durant les repas; si tu le voyais! Il mange
à toute vitesse, il engouffre un plat de riz ou de
légumes en quelques secondes.

— Peut-être qu'il a faim?

— Alors il est sans cesse affamé! Mais je ne t'ai
pas raconté le pire.

— Le pire?

— Le père de mon fiancé émet des sons, des
bruits très vulgaires à table. Et tous les autres, la
mère, les frères, les sœurs de Masahito semblent
d'accord pour dire qu'il est d'une politesse exquise.
Je me demande si c'est la norme ou si c'est seulement la famille de Masahito qui agit de cette façon.

— Tu sais ce que je pense? Je crois que tu devrais
rentrer chez toi, rester là-bas quelques semaines, le
temps de réfléchir à cette demande en mariage.

– Retourner en Pologne, je ne sais pas. J'ai tellement insisté pour venir dans ce pays. Mes parents n'avaient pas assez d'argent pour m'envoyer étudier à l'étranger. C'est Masahito qui a payé mon billet d'avion. Il paye aussi mes études.

– Tu le connaissais avant de venir au Japon?

– Oui. Nous nous sommes rencontrés en Pologne. Nous voyagions à bord du même train. Je rentrais d'une visite chez ma tante, à Varsovie. Masahito effectuait un voyage d'affaires, il devait se rendre dans plusieurs régions du pays. Nous avons sympathisé. Je l'ai invité à la maison. Mes parents l'ont trouvé discret, bien élevé. Nous nous sommes revus deux fois avant son départ. Ensuite, nous avons correspondu pendant près d'un an. Je lui avais fait part, dans une de mes lettres, de mon désir d'aller étudier à l'étranger. Un jour, sans raison particulière, il m'a envoyé un cadeau, un billet d'avion. Moi, je voulais voir le monde. Alors j'ai sauté sur l'occasion. J'ai convaincu mes parents de me laisser partir. Je leur ai dit que je reviendrais bientôt. Je suis venue ici sous prétexte de visiter le pays et je ne suis jamais repartie. Au début, j'ai été séduite par toute l'attention dont j'étais l'objet. Je me sentais unique. Avec le temps, ma perception des choses a changé. Je commence à me lasser de cette différence. Et Masahito qui voudrait que je l'épouse… Présentement, j'habite chez lui. Nous dormons dans des pièces séparées. Il a confectionné une affiche sur laquelle il a inscrit mon nom. Il l'a accrochée sur la porte de ma chambre. Depuis mon arrivée, il n'a pas passé une seule fois le seuil de cette pièce. Nous n'avons jamais couché ensemble. J'aurais bien voulu. Masahito s'y oppose. Selon lui, précipiter les choses briserait la magie qui existe entre nous deux. Si nous voulons faire les choses convenablement, il nous faut attendre. Il est un peu vieux jeu. Le plus ironique dans cette histoire, c'est que c'est moi qui suis catholique et non pas lui. Parfois, je l'imagine me faisant l'amour. Il porte des gants de caoutchouc, des gants identiques à ceux des emballeurs dans les usines. Je ne suis plus entre ses mains qu'une marchandise pareille aux cent mille produits qu'on retrouve au supermarché. Un paquet blanc très propre. Drôle de fantasme. Quoique ce genre d'obsession libère nos idées les plus folles ; un fantasme reste un fantasme. Sérieusement, penses-tu que je devrais l'épouser ?

— Suis mon conseil, retourne chez toi, si ce n'est pour y demeurer, au moins pour une visite. Tu n'as pas l'air de te plaire ici. Je ne sais pas si tu y serais heureuse.

Milena n'avait pas apprécié les paroles de l'Américaine. Elle ne voulait pas qu'on la dissuade d'épouser Masahito, elle désirait simplement être rassurée. Que diraient ses parents si elle rentrait maintenant ? S'ils s'étaient trouvés dans ce lieu, en ce moment, ils lui auraient probablement conseillé de se marier. L'homme lui plaisait. Elle ne l'aimait pas, pas encore du moins. En revanche, il avait une belle situation.

Milena avait le sentiment que Masahito n'était pas forcément l'homme de sa vie. Ce n'était pas le destin qui les avait poussés à se rencontrer, mais plutôt le hasard. Si ce n'avait pas été lui, il y en aurait eu un autre. Pourtant il était là… Très tôt, elle avait appris que la vie est une sorte de marchandage, qu'il faut toujours négocier et renégocier. Masahito n'était peut-être pas l'homme de sa vie, toutefois il lui promettait une existence confortable, à l'abri du besoin et des tracas financiers. Alors pourquoi pas, pourquoi pas lui?

L'Américaine multipliait les mises en garde. Milena ne l'écoutait plus. Elle regardait un groupe de danseuses évoluer sur une scène en plein air. Celles-ci, de vieilles femmes pour la plupart, se déplaçaient avec des gestes à la fois restreints et gracieux. Elles avançaient, le corps rigide, en martelant le sol de leurs pieds minuscules. Quand elles penchaient la tête de côté, elles avaient des allures de petite fille, des mimiques d'autant plus surprenantes qu'elles contrastaient avec les visages fanés. Leurs lèvres, un point carmin dans un cercle blanc, rappelaient le drapeau japonais.

Le soleil tapait dur. Lorsqu'elle fermait les paupières, Milena voyait rouge. Un écran opaque et sanglant. Sa peau rosissait sans qu'elle songe à la protéger, trop absorbée par des réflexions qui la menaient tantôt au bas de l'autel, tantôt en pèlerinage dans son pays natal.

Le soir, elle avait ressenti des douleurs dans les membres, une brûlure sur toute la surface du corps. Le moindre contact sur sa peau, le plus petit effleurement la mettait au supplice. Que ces draps étaient rugueux! Elle avait l'impression d'être couchée entre deux serviettes de plage. Elle avait eu la fièvre pendant trois jours, on avait failli la transporter à l'hôpital. L'Américaine était venue la voir. Milena lui gardait rancune d'être restée à bavarder avec elle, malgré l'ardeur du soleil, mais elle lui en voulait encore davantage d'avoir détruit ses illusions.

❀

Il s'est formé un film orange sur l'image. Cela s'est-il produit au cours du développement? C'est étrange. On dirait que l'instantané a absorbé toute la chaleur de cette journée. Il lui semble que si elle touche la photographie, elle va la sentir encore tiède. Pourquoi l'avoir conservée? Elle lui rappelle de mauvais souvenirs. Il y a longtemps qu'elle aurait dû la jeter. Mais la photo est demeurée là, comme un avertissement, une tache sur les événements à venir.

Il existe une coutume qui prédit aux nouveaux mariés une succession de malheurs s'ils renversent du vin sur leurs vêtements pendant qu'on boit à leur santé. Elle n'a rien renversé à ses noces, pas une seule goutte de vin. La blancheur immaculée de sa robe, soigneusement emballée dans du papier de soie, en témoigne.

C'est son oncle, un artiste, qui a joué le rôle du photographe à leur mariage. La majorité des photos sont en noir et blanc. Cela, au fond, n'a pas tellement d'importance puisqu'elle portait la traditionnelle robe blanche et que Masahito avait loué, pour la circonstance, un habit de cérémonie noir, trop grand pour lui. Avec ses jambes courtes et son tronc massif, il ressemblait à s'y méprendre à un pingouin. Une photographie, prise sur le vif, les montre en pleine action sur le parvis de l'église. Dans un tourbillon de voiles et de jupes, elle se penche pour ramasser l'argent que leur lancent les invités. Masahito participe aussi à cette cueillette. Il est accroupi non loin d'elle, les yeux rivés sur le sol. On croirait qu'il a perdu un verre de contact. Aux Japonais qui s'étonnent en détaillant cette photographie, elle explique qu'il s'agit d'une vieille tradition. Son pays, d'ailleurs, compte bien d'autres coutumes qui les surprendraient. Lorsqu'elle se sent en verve, elle leur cite quelques exemples, elle leur conte même, à l'occasion, l'anecdote de la poupée. À leur mariage, ses parents et ses amis ont failli manquer à l'usage ; ils avaient oublié de ficeler une poupée, symbole de fécondité, sur le devant de la

voiture des mariés. Ils se sont repris à la dernière
minute. Heureusement, car au dire des vieilles gens,
cet oubli aurait pu entraîner de lourdes consé-
quences, telle la stérilité du jeune couple. Les vieilles
gens de là-bas croient dur comme fer à ces fables.

❋

Nathasha pleure encore. Milena se prend à
souhaiter qu'on ait oublié de mettre une poupée
sur le devant de leur voiture. Et Masahito qui n'arrive pas. Il lui avait promis de revenir assez tôt pour
s'occuper du bain de la petite. Où s'attarde-t-il
donc ; dans une salle de conférence, dans un bar du
centre-ville ?

Masahito prétend qu'il doit participer à ces
réunions tardives sous peine de perdre son emploi.
Milena le croit à demi. On raconte que les grandes
entreprises ont chacune leurs geishas attitrées...

Sa voisine, qui vient des Philippines, lui a dit
récemment :

— Moi, tu sais, ça ne me dérange pas trop de
ne pas voir souvent mon mari. Si j'avais épousé un
homme de chez moi, des Philippines, plutôt qu'un
Japonais, je ne le verrais pas davantage. Il s'épuise-
rait à travailler durant de longues heures, tout cela
pour presque rien ; un salaire de crève-la-faim. Je
passe peu de temps avec Takuma, mais au moins, il
a un emploi bien rémunéré. Nous vivons à l'aise.

Milena n'arrive pas à partager le point de vue
de sa voisine. Elle aimerait que Masahito soit plus
fréquemment à la maison. Elle ne veut pas pour sa
fille d'un père invisible. Et puis il y a cette vision
qui revient la tourmenter chaque fois que Masahito
tarde à rentrer. Elle l'imagine, festoyant avec ses
collègues dans une boîte de nuit. Une geisha aux
ongles rouges, assortis à ses lèvres, s'approche de
leur table. Ils échangent avec elle des propos crus.
La geisha les traite comme de vieilles connaissances. Comblés par cette ambiance domestique
recréée, ils se laissent servir par cette femme, la
seule admise parmi ce groupe d'hommes.

À force de se représenter cette scène, Milena se
monte la tête. Elle se promène de long en large
dans l'appartement en portant Nathasha dans ses
bras. Au bout d'une heure, peut-être aussi une
quinzaine de minutes (le temps paraît une éternité
à qui rage seul), le bébé se calme et s'endort. Sa fille
consolée, Milena la dépose dans sa couchette. Elle
s'étend ensuite sur le futon, près du lit de l'enfant.
Elle ne parvient pas à s'endormir tant elle éprouve
un vif ressentiment à l'égard de Masahito. Elle
entretient ce sentiment de rancune, elle le couve
afin de lui réserver le pire accueil imaginable. Qu'il
se repente de les avoir délaissées, elle et Nathasha.

Milena retourne le long coussin qui leur sert
d'oreiller. D'un côté, le coussin est rembourré de
riz, de l'autre, d'une matière moelleuse, un genre

d'étoffe. Elle préfère le côté le plus douillet, mais comme c'est également le favori de Masahito, elle opte pour le riz. Dût-elle en pâtir, dût-elle se meurtrir les joues sur les grains durs, il souffrira aussi.

Elle ne l'a pas entendu rentrer. L'aurait-elle entendu qu'elle lui aurait tourné le dos de toute manière. Elle aurait fait semblant de dormir. Ou plutôt non, elle aurait exigé des explications sur-le-champ. Ces jours-ci, elle lui en veut terriblement. Elle le tient responsable de ce qui lui arrive, de l'espèce de léthargie dans laquelle elle se sent peu à peu sombrer.

Elle s'est levée deux fois durant la nuit pour s'occuper de Nathasha. Elle a mal dormi. Un sommeil enrobé de fiel et de désir de vengeance, des rêves troublants, ponctués de scènes violentes.

À sept heures, le cadran sonne. L'air de la chambre est déjà lourd, vicié de leur souffle. Masahito maugrée et se retourne contre le mur. Elle le secoue :

— Allons! Il est temps de se réveiller.

— C'est dimanche!

— Justement, il faut aller à la messe. Tokyo, ce n'est pas à la porte.

— Si on se reposait pour une fois; est-ce bien nécessaire d'aller là-bas?

— Oui, c'est absolument nécessaire! Tu as promis à ma mère que tu te ferais baptiser avant l'an

prochain. Tu connais l'intérêt qu'elle porte à la religion. Tu dois honorer ta promesse.

Elle la tient, sa vengeance. La seule journée où
il pourrait traîner au lit, elle va l'obliger à se lever, à
se rendre, titubant de fatigue, à la station de train la
plus proche. Elle éprouve un petit pincement de
culpabilité à l'idée de se servir de la religion de cette
façon. Elle étouffe ses scrupules en se disant qu'elle
ne dispose d'aucun autre moyen pour le dissuader
de sortir le soir.

Ils ont eu la chance de trouver des sièges disponibles dans le train. Les yeux vitreux, l'humeur
morose, Masahito ne souffle mot. Milena se
penche vers le landau, fait mine de s'occuper du
bébé. Elle se sent empesée dans ses vêtements du
dimanche ; un tailleur gris à petites rayures qui la
vieillit beaucoup. Elle s'est coiffée les cheveux en
toque. Son allure sévère contraste avec son
maquillage plutôt lourd. Depuis qu'elle est mère de
famille, elle a rarement l'occasion de se pompon-
ner, alors forcément, elle a perdu la main.

Elle pense aux actrices de cinéma. À l'écran, les
femmes ne se démaquillent jamais. Elles se cou-
chent et se lèvent, les lèvres peintes, les paupières
bleutées, les cheveux à peine déplacés. Milena
songe à la fois où elle avait couché chez son ami
Frederik. Elle avait fait croire à ses parents qu'elle
passerait la nuit chez une copine. Ce soir-là, elle ne
s'était pas démaquillée. Une idée d'enfant. Elle

avait peur que Frederik, en la voyant sous son vrai jour, la trouve moins séduisante. Elle s'était éveillée, le matin suivant, les yeux noirs et barbouillés comme si elle avait reçu une raclée. Frederik qui, du reste, avait l'haleine forte au lendemain de cette nuit d'amour, avait dû avoir une belle frousse en ouvrant les yeux. Frederik; encore lui. Ces derniers temps, son souvenir vient trop souvent rôder autour de leur vie familiale.

La chapelle est minuscule. Il y règne une chaleur d'enfer. Tassés les uns contre les autres, les fidèles suent à grosses gouttes dans leurs habits du dimanche. L'assemblée est surtout composée de jeunes familles.

Milena parcourt la salle du regard. Depuis la naissance de Nathasha, elle a l'impression d'appartenir à un autre groupe de la société. Elle vient de joindre le « club des nouveaux parents ».

Son amie des Philippines est là, fagotée dans une robe de dentelle. Elle est venue avec son petit garçon. Elle aussi a épousé un fantôme.

L'air s'épaissit encore. Les assistants essuient leurs mains moites sur leurs beaux vêtements. Cette touffeur rend presque insupportable la moindre digression dans le discours du prêtre.

Les yeux mi-clos, Masahito semble rattraper ses heures de sommeil perdues. Il sursaute lorsque Milena lui touche le bras. C'est l'heure de faire boire Nathasha. Elle gigote, pousse des cris; sa manière à

elle de les prévenir qu'elle ne tolérera aucun retard.
Milena se lève, passe devant une rangée de jeunes
parents qui lui lancent des regards compréhensifs.
Elle se dirige vers une porte, à l'arrière. Celle-ci
ouvre sur une pièce sombre et exiguë : le confessionnal. Ce cabinet, chacun le sait, n'est utilisé qu'au
début de la messe, le seul prêtre en devoir ne pou-
vant être partout à la fois. Milena s'y installe confortablement pour donner le biberon à Nathasha. « Tu
devrais la nourrir au sein, avait insisté sa mère lors
d'une conversation téléphonique. Moi, j'ai suivi
l'exemple de ma mère : j'ai allaité tous les miens. Le
lait maternel profite aux enfants, sans compter que
c'est un bon moyen de contraception. » Milena
s'était emportée. « Épargne-moi tes conseils » avait-
elle répliqué d'un ton cassant.

Sa mère avait peut-être raison après tout. Elle
aurait sans doute dû respecter la tradition familiale.
Milena s'efforce de chasser ces pensées qui de
remords en regrets n'aboutissent nulle part. Ce qui
est fait est fait ; on ne peut revenir là-dessus.

La fraîcheur du cabinet lui rappelle ses dernières vacances, l'air marin des côtes de Kyushu.
L'été passé, elle est retournée avec Masahito dans le
sud du Japon. Ses parents, qui leur rendaient visite
pour la première fois, étaient du voyage. Masahito
avait, dès le début, cherché à se concilier ses beaux-
parents, Aldona et Carl Zubrowski. Il avait assumé
tous leurs frais de déplacement, espérant probable-

ment en retour une certaine gratitude, un bon mot
en sa faveur au moment opportun.

Les deux couples avaient exploré ensemble le
Sud du pays. Ils étaient demeurés quelques jours à
Nagasaki. Dans plusieurs boutiques de la ville, on
offrait aux touristes d'étranges souvenirs : des poupées habillées en religieuses, de bien curieuses
nonnes en vérité ; très blondes, vêtues des couleurs
les plus vives. Les bonnes sœurs portant des voiles
rouges retenaient particulièrement l'attention.

Aldona, sa mère, n'avait pu réprimer son
mécontentement : « Non mais, qu'est-ce que c'est
que cette mascarade ? On devrait retirer ces mons-
truosités des étalages. Se moquer ainsi des bonnes
sœurs, c'est scandaleux ! »

Mme Zubrowski se sentait blessée dans sa dignité
de croyante. Milena avait tenté d'expliquer à sa
mère que ces figurines se voulaient avant tout un
rappel de la présence portugaise dans l'histoire de
cette ville. Elles symbolisaient un héritage oublié.
Elles n'étaient qu'un souvenir déformé, ce qui restait,
outre quelques bâtiments, de l'influence qu'avait un
jour exercée les Européens dans ces lieux.

Mme Zubrowski n'en démordait pas : ces
relents historiques de mauvais goût n'en représen-
taient pas moins une insulte à leur religion. Durant
les jours suivants, elle était revenue à plusieurs
reprises sur le sujet, protestant à chaque fois un peu
plus fort contre l'outrage fait aux saintes femmes.

Nagasaki : lorsque Milena évoque cette ville, une image s'impose à elle. Elle revoit la statue de la paix.

Le géant de pierre se dresse, les bras déployés ; une croix au milieu d'un îlot de verdure. Les oiseaux viennent se poser sur cet immense perchoir. Ils profanent de leurs excréments le monument dédié à la fraternité des peuples.

Le géant sali, la paix devient aléatoire.

Au cours de leur séjour à Nagasaki, Masahito et elle s'étaient disputés. Sitôt informée de leur querelle, Aldona l'avait emmenée se promener dans le quartier voisin de l'hôtel. C'est au pied de la statue que sa mère s'était posée en médiatrice. Une fausse coïncidence, avait estimé Milena, un hasard calculé. Quant à la neutralité de l'arbitre, elle laissait à désirer. Mᵐᵉ Zubrowski s'était portée trop rapidement à la défense de son gendre.

— Tu as un bon mari, Milena.

— Oui, mais il n'est jamais là.

— Il travaille dur. Jour après jour, il te comble de présents. C'est un homme généreux. Tu as vu le cadeau qu'il nous a offert en signe de bienvenue ? Un four à micro-ondes ! Ce n'est pas n'importe quel gendre qui recevrait ses beaux-parents de cette façon.

Milena avait eu envie de répliquer : « Et les nonnes ? Serais-tu prête à accepter qu'elles portent des costumes multicolores, qu'elles se teignent les cheveux en blond, qu'elles se couvrent la tête de

voiles rouges ou mauves? » Aldona l'encourageait à
mettre de l'eau dans son vin, alors qu'elle-même
buvait le sien pur. Elle lui vantait les mérites de
Masahito, elle se montrait naïvement impression-
née par les largesses de son gendre. Ah! il avait bien
manœuvré! Milena s'était tue. Il n'y avait rien à
ajouter, sinon qu'elle craignait que Masahito n'ait
réussi à acheter ses parents.

Milena sort enfin du confessionnal. La messe
se termine tout juste. Masahito la regarde d'un œil
mauvais, comme si elle avait voulu, en s'éclipsant,
échapper à une corvée.

❈

Masahito est parti très tôt, sur la pointe des
pieds. Elle ne l'a pas entendu se lever. Elle vit avec
un fantôme. Ce matin, elle a vainement cherché
la photo de Frederik. Elle soupçonne Masahito
de l'avoir jetée. Il détestait cette photo. Il tolère
mal qu'elle ait connu d'autres hommes avant de
le rencontrer.

« Frederik m'a confié être redevenu célibataire », lui a écrit sa mère. Milena, à cette pensée,
sent son cœur se serrer. Elle regrette ce qui aurait
pu être, l'inconnu, l'aventure.

À plat ventre sur une couverture étendue à
même le sol, Nathasha babille. Elle agite les bras et
les jambes de manière désordonnée. Milena lui tend

distraitement un jouet. Laissant sa fille s'amuser seule, la jeune femme sort un instant sur le balcon.

Ils demeurent au quatrième étage d'un immeuble en béton, un *danchi*, comme on les appelle ici. Masahito a acheté cet appartement bien avant de l'épouser, avant même qu'ils ne se connaissent. Il voulait sans doute faire un placement.

Milena n'affectionne pas particulièrement l'endroit où ils vivent. Leur quartier ne se distingue en rien des autres secteurs. Il est froid. Un univers de béton. Par la fenêtre, on voit la route, un autre *danchi*, une rizière format de poche. Lorsqu'elle se désole de ne pas avoir de jardin, Masahito lui sert les arguments suivants : Au moins, ils sont propriétaires. Préférerait-elle demeurer dans l'un des logements fournis par son employeur ? Si c'est ce qu'elle désire, la compagnie pour laquelle il travaille dispose de cinq immeubles dans le secteur ; il doit encore y avoir des appartements disponibles.

Milena réplique sèchement : Et lui, aimerait-il croiser les mêmes gens du matin au soir, partir travailler avec ses collègues le matin, revenir avec eux le soir, voir continuellement les mêmes figures ; les mêmes visages aux fenêtres des logements voisins, les mêmes visages autour de la table de réunion. Arriverait-il à vivre sans se sentir peu à peu étouffer dans cette microsociété ?

En général, quand ils atteignent ce point de la discussion, Masahito déclare qu'elle n'y comprend rien. À se côtoyer ainsi, chaque jour, le personnel apprend à mieux se connaître. Les employés se lient d'amitié, ils ont davantage le sentiment d'appartenir à une équipe. La ville se transforme en village, on s'y ennuie moins, on souffre moins d'être seul. À la maison comme dans les bureaux de la compagnie, il règne une atmosphère de camaraderie propice à la bonne marche de l'entreprise.

Masahito a beau discourir, il n'irait jamais habiter dans un immeuble appartenant à son employeur. Il se rabat toujours sur la fierté d'être propriétaire. C'est pourtant vrai, se dit Milena; il s'est porté acquéreur de quelques dizaines de mètres cubes enchâssés dans le béton. Il a acheté l'espace compris entre ces quatre murs. Du vent quoi! conclue-t-elle ironiquement.

De son balcon, elle observe ses voisines. L'une d'elles bat ses futons avec une baguette de bambou pour en faire sortir la poussière. Le poignet énergique, le bas du visage masqué pour se protéger de la saleté, elle procède avec une vigueur surprenante chez une femme d'une aussi petite taille.

Imitant ses voisines, Milena traîne les futons à l'extérieur afin de les aérer. Elle les hisse sur le garde-fou, puis elle demeure un instant, les bras ballants, à contempler le ciel.

Il est bleu, sans tache. Un avion passe et tire un long trait blanc. Ça y est, se dit-elle à ce moment précis, c'est aujourd'hui ou jamais. Si je ne pars pas maintenant, ensuite, ce sera trop tard. Une idée saugrenue vient de germer dans sa tête, il lui semble que si elle ne quitte pas cet endroit dans les plus brefs délais, elle ne reverra plus sa famille, son pays, ses amis. Elle ne reverra plus Frederik, son ancien amoureux.

Nathasha s'est enroulé les pieds dans sa couverture. Prise au piège, elle hurle de colère. Au premier cri de protestation, Milena reconnaît les pleurs de sa fille. Elle rentre précipitamment pour lui porter secours.

Elle jette, pêle-mêle, des objets dans une valise. Soudain, elle se ravise. Elle choisit un bagage moins encombrant, le fourre-tout qu'elle utilise quand elle va à la plage. Elle y entasse quelques effets, le strict minimum. Aucun poids mort qui puisse la retenir en arrière.

Elle vient de s'engager dans une course contre la montre. Il lui faut organiser sa fuite. Elle a l'impression de s'apprêter à franchir l'ancien mur de Berlin.

Ses préparatifs terminés, Milena se dirige vers la station de métro. Elle entreprend son périple, plus chargée qu'elle ne l'aurait espéré. Elle ressemble à ces jeunes qui font le tour du monde avec pour tout bagage ce lourd sac qui leur meurtrit les épaules. Elle a hissé Nathasha sur son dos. Tel un alpiniste suspendu dans le vide, l'enfant repose dans un porte-bébé, retenu par un attelage compliqué.

Elle passe devant la fabrique de chocolat Meji. Une odeur sucrée se répand dans l'air, lui chatouille les narines. Les terrains de tennis mis à la disposition du personnel fourmillent d'activité. Plusieurs employés de l'usine, des cadres à en juger par leur tenue, profitent de l'heure du dîner pour faire un peu d'exercice. Ils ont chaussé des espadrilles et, sans prendre le temps d'enlever leur cravate, ils se sont mis à chasser la balle à fond de train. Celle-ci rebondit bien sur le sol de terre battue, ni trop lentement ni trop vite. Un son mat et régulier.

Milena longe la haie. Elle évite qu'on la remarque ; si on la reconnaissait ? Son mari compte quelques relations parmi les dirigeants de cette entreprise. Un coup de fil est si vite donné... Elle s'imagine évoluer en plein cœur d'un roman d'espionnage alors que sa présence à cette heure, en ces lieux, n'a rien d'extraordinaire. Elle sort souvent faire des courses à ce moment de la journée. Il y a bien son grand fourre-tout qui lui donne une allure un peu suspecte, mais qui s'attarderait à ce genre de détail ? Les gens ont d'autres chats à fouetter. Ils sont trop occupés à suivre le déroulement de leur propre vie pour s'intéresser à ces peccadilles.

À l'entrée de la station de métro, une femme distribue gratuitement des mouchoirs de papier. Encore une stratégie publicitaire. Se rappelant fort à propos que l'on ne fournit pas le papier hygiénique dans les toilettes publiques, Milena, toujours

prévoyante, réclame un paquet supplémentaire. À
défaut d'être utilisé autrement, les mouchoirs pourront toujours servir à éponger les larmes de leurs
retrouvailles, à elle et sa famille.

Elle avance parmi la foule. Nathasha s'est laissée couler au fond du porte-bébé. Elle dort, légèrement recroquevillée. Seul son petit bonnet, garni
de deux oreilles de lapin, dépasse de cet étrange sac
à dos. Milena sent le poids du bébé qui la tire vers
l'arrière. Nathasha sera bientôt trop vieille pour
qu'on la transporte ainsi.

En dépit de la fatigue, de l'effort qui lui creuse
les reins, Milena a la sensation d'être légère. Elle se
réjouit de pouvoir se fondre dans cette cohue, d'y
circuler incognito.

Quand elle et Masahito se promènent, le
dimanche, la curiosité des gens ne connaît plus de
limite. Les passants se tordent le cou pour essayer
d'apercevoir Nathasha, couchée dans son landau.
Certains, les plus audacieux, vont jusqu'à se rentrer
la tête dans la voiture d'enfant. Ils veulent absolument savoir à quoi ressemble le fruit de cette union.

Au début de leur mariage, on les invitait souvent aux réceptions chez les patrons de Masahito.
Elle était une sorte de curiosité locale. On s'appro-
chait d'elle avec circonspection. Vêtues de couleurs
sombres, les dames de la haute société s'extasiaient
sur la blancheur de sa peau, sur le blond légèrement
moiré de ses cheveux. Elles formaient autour d'elle

un cercle admiratif, ne cessant de la complimenter sur son apparence physique.

Les hommes se montraient plus discrets. Ils ne lui adressaient pas directement la parole. « Vous avez une épouse charmante », disaient-ils à Masahito. Et l'un après l'autre, ils le félicitaient de son choix : « Une si jolie femme, grande et mince, le teint blanc comme une porcelaine. » Ils semblaient l'envier de posséder un tel trésor, une compagne à la chevelure de la même couleur que l'or. Un soir pourtant, ils avaient remarqué des repousses brunes dans les cheveux de Milena. Leur enthousiasme à l'égard de la belle étrangère s'en était trouvé quelque peu altéré. Pensez donc, celle qui les avait tant éblouis n'était en réalité qu'une fausse blonde! Quand elle s'était aperçue de leur déception, Milena avait définitivement renoncé à se teindre les cheveux. D'abord par défi, ensuite pour se soustraire à ces soirées qu'elle exécrait.

On continuait cependant à solliciter leur présence. Après avoir toléré ce cirque pendant un moment pour plaire à Masahito, pour lui permettre également d'obtenir de l'avancement, elle s'était mise à décliner les invitations. Elle ne voulait plus se prêter à ces jeux d'influence. S'estimant vaguement lésés à cause des changements survenus à la chevelure de Milena, les patrons de Masahito n'avaient pas trop insisté, préférant faire porter à une autre le chapeau de l'idéal féminin. On les invitait désormais beaucoup plus rarement. Milena n'en éprouvait que peu de regrets, même si Masahito ne ratait jamais une occasion de lui rappeler que sa carrière stagnait.

Elle s'arrête un instant devant un gigantesque panneau lumineux : le plan du métro. À voir la multitude et l'enchevêtrement des voies, elle s'énerve un peu ; comment démêler cet écheveau ? Il importe qu'elle trouve au plus tôt le chemin pour se rendre à l'aéroport de Narita. Elle étudie la carte avec anxiété, se retourne souvent, comme si elle était poursuivie.

— Puis-je vous aider ?

Milena bondit. Elle hurle sa peur au visage de l'inconnu qui paraît aussi dérouté qu'elle. Réveillée en sursaut, Nathasha commence à pleurnicher.

— Je suis désolé, s'excuse le nouveau venu. J'ai cru que vous aviez perdu votre chemin et que peut-être, je pourrais vous être utile.

Milena examine l'homme avec méfiance. Il lui rappelle quelqu'un, elle ne se souvient plus qui. Néanmoins, exception faite de ses gants, il ressemble à n'importe quel autre individu. Un monsieur bien mis. Cravate noire, complet bleu sombre ; un homme d'affaires probablement, une personne assez importante si l'on se fie à la coupe de ses vêtements.

— Vous ne venez pas d'ici, il y a longtemps que vous êtes au pays ?

– Quelques jours à peine, ironise Milena, plus que jamais consciente de son statut d'étrangère.

Il pose son regard sur Nathasha, l'air de douter de ces paroles.

– Ce n'est pas mon enfant, ment Milena. C'est la fille d'une copine.

Elle regrette aussitôt ses propos. Voilà qu'à présent, elle renie sa fille. Pourtant elle l'adore, cet enfant. Comment a-t-elle pu en arriver là? Elle n'y comprend rien.

– Allemande, Américaine? s'enquiert l'autre, avide de détails.

Je veux bien être tout ce que tu voudras, si seulement tu me laisses partir, pense Milena avec lassitude.

– Je suis Allemande, dit-elle au hasard, pour brouiller les pistes.

– C'est évident! Ça se voit tout de suite; pourquoi n'y ai-je pas songé plus tôt? J'espère que vous passerez chez nous un séjour agréable. Excusez-moi si je suis indiscret, mais à quel endroit désirez-vous vous rendre?

Milena commence à se sentir agacée. Non mais, qu'est-ce que c'est que cet interrogatoire?, se demande-t-elle tandis qu'elle s'efforce de lui donner le change.

– Je vais à Yokohama. On m'a affirmé qu'il y avait là des jardins magnifiques.

– Vous a-t-on parlé du bouddha géant? Un monument remarquable. Je vous assure qu'il vaut le détour.

Monsieur ne tarit pas d'éloges sur la ville de Yokohama et ses environs. Il semble réconcilié avec l'idée qu'elle fasse du tourisme en compagnie d'un bébé japonais.

– Dites-moi, êtes-vous bien pressée?

– Oui, enfin non, c'est-à-dire que j'avais projeté d'aller visiter deux ou trois endroits…

Elle joue les vacancières décontractées. En son for intérieur, elle bout d'impatience. Cet homme lui fait perdre un temps précieux.

– Parce que si vous n'êtes pas trop pressée, j'aimerais vous inviter à manger quelque part.

– Je vous remercie, vous êtes très aimable, seulement il y a cette amie à qui je devais téléphoner et…

Monsieur se raidit, peu habitué sans doute à ce qu'on lui refuse une faveur.

– Pardonnez-moi si j'insiste; je souhaiterais vraiment que vous vous joigniez à moi.

Milena le dévisage de nouveau avec méfiance. Elle croit le reconnaître. N'était-il pas à cette fête assommante à laquelle elle a été forcée d'assister le mois dernier? Une soirée donnée en l'honneur du grand patron de Masahito. Elle se souvient être restée assise pendant des heures. Une ambiance chloroformée. Il y avait, posée devant elle, une

assiette, presque un tableau, tant on y avait disposé les aliments avec art. Couleurs éclatantes,
fleurs stylisées ; ces mets avaient été choisis davantage pour le plaisir des yeux que pour leur saveur.
De toute évidence, l'assiette était là pour être
admirée, car il semblait, du moins pour le
moment, interdit d'y toucher. Tandis que les offi-
ciels montaient chacun leur tour sur l'estrade pour
prononcer des paroles banales, les convives se
tenaient à l'attention, les bras poliment croisés
sous la table. C'est à peine s'ils osaient respirer. La
cérémonie prenaient de plus en plus des allures de
concours d'élocution.

Mais que devenait l'homme aux gants, le mystérieux inconnu, dans cette histoire ; était-il lui
aussi allé pérorer sur la scène, n'était-il pas plutôt
demeuré figé sur son siège, le regard perdu dans son
assiette de sushi ?

D'une manière ou d'une autre, elle est prati-
quement certaine de l'avoir aperçu à cette soirée. Si
c'est le cas, il connaît sûrement Masahito. Peut-être
est-ce ce dernier qui l'envoie. Son mari aurait-il
déjà appris son départ ? Non, c'est impossible ! Qui
l'aurait mis au courant ?

Mais alors, que lui veut cet homme, est-il réel-
lement celui qu'il prétend être ? Au fait, il n'a rien
prétendu du tout, il ne s'est même pas présenté !

Elle regarde avec nervosité les gants de son
interlocuteur. Ses yeux reviennent souvent se poser

sur eux, comme si d'instinct elle sentait qu'ils représentent la clef de l'énigme. La solution du mystère; bon sang! Pourquoi n'a-t-elle pas établi plus tôt le rapprochement qui s'imposait? C'est clair, il est de la mafia. Pour quelle autre raison porterait-il une paire de gants par cette chaleur, si ce n'est pour dissimuler son doigt coupé, un aveu en soi, le signe indéniable qu'il appartient à la bande de malfaiteurs la plus redoutée au pays?

Il connaît son mari. Elle est maintenant persuadée de les avoir vus discuter ensemble à cette soirée. Masahito devrait de l'argent à ces bandits qu'elle n'en serait pas étonnée. Elle le voit déjà impliqué dans des combines douteuses. C'est pour cette raison qu'il rentre tard le soir. Dans quelle affaire louche Masahito a-t-il trempé? Et surtout, quelles sont les intentions de cet homme; s'il projetait de les retenir en otage, elle et sa fille? Sait-on jamais. Si elle pouvait s'enfuir... Avec l'enfant sur son dos, l'homme aurait vite fait de la rattraper. Et puis, il pourrait être armé.

Elle décide de le suivre. C'est la solution la plus sage. Il la mettra au courant de la situation. Peut-être parviendront-ils à s'expliquer avec calme.

Nathasha s'est remise de son mauvais réveil. Étrangère aux préoccupations de sa mère, elle sourit placidement.

— Je suis content que vous acceptiez mon invitation. Alors, où aimeriez-vous manger?

– Je n'ai pas de préférences.

– Un restaurant thaïlandais, ça vous irait?

– Oui, murmure Milena d'une voix à peine audible.

Elle se dit que le propriétaire du restaurant doit être un de ses amis, un bandit lui aussi. Elle se sent troublée d'avoir accepté l'invitation d'un parfait inconnu. Pour lui montrer qu'elle n'est pas dupe, qu'elle ne trouve pas cette situation très normale, elle enchaîne :

– J'ai l'impression de vous connaître. On ne s'est pas déjà rencontré à une soirée?

– Non, je ne crois pas. Je n'ai pas eu le plaisir de visiter l'Allemagne.

Et vlan! Il lui répond du tac au tac. N'empêche qu'elle vient de se fourvoyer. S'il existe encore une chance que ce soit vraiment un inconnu, qu'il n'ait jamais côtoyé Masahito ou les gens de la mafia, il ne doit plus du tout croire à ses histoires.

✸

– Voilà, nous y sommes.

La façade des Délices thaïlandais donne sur la rue Ginza, surtout réputée pour ses boutiques chic et ses restaurants aux spécialités variées.

Dès l'entrée, les serveurs les saluent bien bas. On les accueille avec empressement, ce qui, tout en confirmant l'importance de son compagnon, éveille à nouveau les craintes de Milena.

On leur assigne une table. Un meuble interminable, une véritable piste de course! Plusieurs clients y ont déjà pris place, mais comme cette table est immense, cela ne nuit pas à leur intimité.

Ils s'assoient par terre, au bord d'un trou pratiqué dans le plancher, une grande fosse rectangulaire. Ils glissent les jambes sous la table installée au-dessus de cette tranchée. Milena détache les courroies qui retiennent le porte-bébé. Elle étend Nathasha sur le sol, près d'elle. Elle a un peu peur qu'elle ne roule dans la fosse.

Monsieur s'efforce de lui faire la conversation. Il parle une langue apprise dans les livres, un anglais très académique. Elle attend qu'il lui révèle la raison de leur « kidnapping » (pour quel motif les a-t-il emmenées ici; qu'il en vienne au fait!), mais il ne semble pas disposé à aborder la question tout de suite. Il réserve probablement ce sujet pour le dessert. En bon parlementaire, il sait ménager ses effets. Il s'éparpille en une suite de commentaires apparemment sans liens les uns avec les autres. Bref, il joue avec ses nerfs.

— J'aime bien la décoration de ce restaurant. Et vous?

— Oui, c'est très joli.

Dommage qu'on y voie autant qu'au fond d'une armoire, ajoute Milena pour elle-même. Elle réfléchit au moyen de lui tirer les vers du nez.

– Vous avez déjà visité la Thaïlande? demande-t-elle à brûle-pourpoint.

– Non, jamais. Et vous?

Il lui renvoie ses questions comme un miroir réfléchit une image. Ses réponses ne l'engagent à rien; ce sont des écales vides. Impossible d'en apprendre davantage à son sujet. Elle mange en compagnie de l'homme invisible.

– Regardez! Voilà les danseuses.

Milena se tourne dans la direction qu'il lui indique. Elle n'avait pas remarqué qu'il y avait une scène au fond de la pièce, tant cette dernière est obscure. Les costumes des artistes, sous les feux des projecteurs, n'en paraissent que plus éclatants. Les danseuses rutilent de la tête au pied; de vraies chapelles ambulantes. Leurs coiffes de faux métal ressemblent à des miniatures de la tour Eiffel. Pieds nus, les bras et les chevilles encerclés d'or, elles exécutent des mouvements qui, sans être toujours gracieux, n'en fascinent pas moins les spectateurs. Elles dansent les jambes arquées. Leur cou donne l'impression d'être désarticulé, leurs bras ondulent, pareils à des serpents. Peu importe le geste ou l'effort à accomplir, elles gardent le sourire. Elles reprennent les mêmes figures, ainsi qu'une supplication qu'elles répéteraient encore et encore.

Brisant soudain le rythme du spectacle, une danseuse, de faux ongles fixés au bout de chacun de ses doigts, s'avance au bord de la scène. Elle affronte le public, toutes griffes sorties.

Une rumeur parcourt la salle. « La danse des ongles », murmurent les connaisseurs. À ces mots, à la vue des longues griffes en or, le regard de Milena glisse instinctivement vers les mains de son compagnon. Elle songe aux malfaiteurs qui portent des gants pour s'assurer l'impunité. Monsieur se tiendrait-il toujours prêt à commettre un crime ?

Se désintéressant du spectacle, ce dernier tente de nouveau d'engager la conversation. Il lui parle de la pluie et du beau temps. Elle répond distraitement. Elle a les yeux rivés sur ses mains. Les gants s'agitent ; ils dénoncent les activités de cet homme. Les enlève-t-il pour manger ? Un moment plus tôt, on s'empressait autour d'eux. Maintenant, elle trouve le service lent, comme si les serveurs s'employaient à faire durer le suspense. Elle se tourne vers la scène où la danseuse continue de déchirer de ses griffes d'or des bêtes imaginaires. Elle essaie de penser à autre chose, mais les ongles démesurés, aussi effilés, aussi efficaces que des armes blanches, lui rappellent constamment la présence à ses côtés d'un individu qu'elle croit impliqué dans des activités criminelles.

— Comment dit-on « doré » en japonais ? Je ne m'en souviens plus.

– Je vous demande pardon ?

La musique parodie une tempête. Des monstres immortels font irruption sur la scène. Ils disputent aux danseuses une pierre aux reflets d'eau. De faux coups de tonnerre éclatent, forçant Milena à hausser la voix.

– J'aimerais savoir comment on dit « doré » dans votre langue. « Doré comme votre montre » précise-t-elle après coup.

– Elle vous plaît ? Tenez, je vous la donne.

– Je vous en prie, non ! Gardez votre montre. Je voulais seulement savoir...

Il la presse d'accepter ce présent, un objet de prix. Il suffit de voir les gadgets qui miroitent sur le cadran : un odomètre, une lampe auto-bronzante, un régulateur de pulsation, un indicateur de vieillesse, etc. Ce n'est plus une montre, c'est une boîte de contrôle. À l'aide de ce truc, on pourrait diriger des engins téléguidés et même, pourquoi pas, commander une bombe à distance !

Il se passe quelque chose de louche, sinon pourquoi voudrait-il lui faire un présent ? Que signifie son geste ? Est-ce une promesse de clémence, veut-il par là lui donner l'assurance de son pardon, en admettant, bien sûr, qu'elle se soumette à ses exigences ?

L'inconnu fronce les sourcils, un pli de contrariété lui barre le front. Il n'admet pas qu'on refuse un cadeau de lui. Qu'est-ce que j'ai fait ? songe

Milena qui change aussitôt de tactique. Surtout, ne pas lui déplaire.

– J'apprécie votre générosité, mais je ne peux pas accepter. C'est trop, beaucoup trop!

L'homme se détend. L'ombre d'un sourire se dessine sur son visage.

– Gardez-la, j'en ai plusieurs chez moi. C'est pour vous, insiste-t-il en poussant l'objet vers elle.

Sa main gantée effleure la sienne. Elle frissonne en pensant au doigt coupé. Pourquoi tient-il tant à lui donner sa montre? Les Japonais aiment échanger des cadeaux; s'attend-il à ce qu'elle lui offre un présent en retour? Elle lui céderait volontiers son anneau de mariage. Elle envisage sérieusement cette possibilité, lorsqu'une idée lui vient à l'esprit. La montre contiendrait-elle un message, une sorte d'avertissement? À moins qu'elle ne soit à la fois le message et la solution, un moyen efficace d'éliminer la famille d'un mauvais payeur. Elle n'ose y penser et pourtant, quand on connaît les procédés de la mafia...

Elle prend la montre, la dépose délicatement dans son fourre-tout, entre les deux paquets de mouchoirs. Son premier mouvement est d'éloigner au plus vite cet engin de sa fille.

– Vous m'excuserez, j'ai un coup de fil à donner.

L'excuse classique, se dit-elle pendant qu'elle s'applique à parfaire son mensonge. Il n'avalera jamais ça. Tant pis! Je suis incapable de trouver mieux. Je ne suis pas espionne, moi. Je ne suis qu'une simple mère de famille.

– Vous comprenez, ma copine attend mon appel. Je garde son bébé, mais comme je pars en voyage cet après-midi, je dois lui donner rendez-vous quelque part pour qu'elle reprenne sa fille.

Une histoire cousue de fil blanc. En fait, cela importe peu. S'il connaît son identité, et il y a de fortes chances que ce soit le cas, les jeux sont déjà faits. Dire qu'en ce moment, elle devrait être assise dans le train, en route vers l'aéroport.

Elle se dirige droit vers les toilettes. La situation se complique de minute en minute, elle redoute à cette heure d'avoir en sa possession une... Quelle idée absurde! Elle n'oserait même pas formuler cette pensée à haute voix; il n'empêche qu'elle craint d'avoir une bombe dans son sac à main et qu'elle souhaite se débarrasser rapidement de l'objet suspect. Elle s'enferme dans les cabinets pour mieux réfléchir. Que faire? Balancer la montre dans les poubelles, à l'extérieur du restaurant? Elle risquerait d'exposer inutilement la vie de plusieurs personnes.

Dommage qu'elle n'ait pas eu cet engin sous la main, dimanche passé. Se découvrant à point nommé des aptitudes pour le bricolage, elle aurait trouvé un moyen de reprogrammer le système d'horlogerie. Au moment de partir pour la messe, elle se serait approchée sans bruit de la couche conjugale. Avec d'infinies précautions, elle aurait glissé la montre sous l'oreiller de son mari. Elle serait ensuite partie sur la pointe des pieds, laissant pour une fois Masahito faire la grasse matinée…

Elle n'éprouve pas de remords à imaginer ces scénarios. Ils ne sont que pure fantaisie, une vengeance sublimée, inoffensive. D'ailleurs, si ce n'était pas de Masahito et de ses bêtises, elle ne se trouverait pas là.

Elle s'approche de la cuvette, fortement tentée d'y déposer la montre. Il suffirait d'actionner la chasse d'eau. Elle y renonce cependant. L'objet est trop lourd, cela ne fonctionnerait jamais. Et puis l'engin, si l'on ne prend garde de le manipuler avec prudence, risque d'exploser.

En tournant et en retournant le problème dans sa tête, elle en vient à la conclusion que la bombe ne lui sautera pas à la figure dans les prochaines secondes. On l'aura réglée pour plus tard, beaucoup plus tard. L'inconnu n'aurait pas couru le danger de périr dans l'explosion. Ces gars-là ne sont pas des kamikazes. Ils tiennent à leurs avoirs, à leur train de vie luxueux, du moins elle le croit. Tant et aussi longtemps qu'elles resteront en compagnie de cet homme, Nathasha et elle devraient bénéficier d'un sursis.

Stimulée par les événements, elle élabore des plans compliqués, des plans dignes d'un film d'espionnage, pour s'arrêter, finalement, à la solution la plus simple : la meilleure façon de se débarrasser de la montre serait sans doute de la rendre discrètement à son propriétaire. Profiter d'un instant d'inattention pour la glisser dans l'une des poches de son veston.

Elle s'avise soudain qu'elle a laissé l'inconnu seul en compagnie de sa fille. Elle n'aurait pas dû. S'il en avait profité pour enlever son bébé? Elle se hâte de retourner dans la salle à manger. Malgré la pénombre, elle le repère parmi les autres clients. Il s'amuse à faire des risettes à Nathasha. Elle s'inquiétait pour rien. Après tout, elle se raconte peut-être des histoires. La bombe n'est peut-être pas une bombe, l'inconnu n'est peut-être qu'une âme esseulée cherchant tout simplement quelqu'un avec qui partager son repas.

— Alors, vous avez rejoint votre copine, vous avez convenu d'un endroit pour vous rencontrer?

— Oui, c'est arrangé.

Monsieur feint de croire à son histoire. Il a presque l'air sincère, pense Milena. Il vaut quand même mieux se méfier. Cela s'est déjà vu, des gangsters au cœur tendre, des tueurs endurcis qui perdent leurs moyens aussitôt qu'ils sont en présence d'un mioche.

Elle attend le moment opportun pour lui refiler la montre. L'occasion se présente enfin lorsqu'il tourne la tête en direction de la scène. Les danseurs sont revenus pour exécuter d'autres numéros.

Immobiles l'instant précédent, ils s'animent au son des xylophones qui scandent leurs mouvements. Cette musique rend bien la naïveté des vieilles légendes. Des notes rondes et pleines, des notes qui ne savent pas rebondir. L'intrigue piétine, les danseurs jonglent avec la même pierre sacrée que tout à l'heure. Pourchassés par des monstres d'une laideur innommable, ils se la lancent de l'un à l'autre. La pierre passe de main en main tel un fardeau dont on voudrait se défaire. Une charge de dynamite, songe Milena, obnubilée par son histoire de bombe.

Les danseurs se tortillent et font des soubre-sauts, comme des poissons qu'on aurait jetés hors de l'eau. Le veston est là, à portée de main. Il l'a posé sur le sol après l'avoir soigneusement plié. Il lui faut agir vite. Elle étire le bras. Le cœur trem-blant, elle glisse la montre dans la poche du vête-ment. Voilà. Il ne lui reste qu'à prendre congé de lui le plus rapidement possible et sans que ce départ paraisse trop suspect.

Pendant qu'elle cherche une excuse plausible, une serveuse arrive avec le plat principal, du riz et des languettes de bœuf dans une sauce au cari.

Oubliant tout le reste, Milena reporte son attention sur les mains de l'étranger. Monsieur se dispose à retirer ses gants. La minute de vérité.

Il prolonge le suspense. Avec des gestes lents, quasi érotiques, il ôte son gant droit. Il le fait sensuellement glisser le long de sa main. Et l'autre, le gauche, va-t-il finir par l'enlever ? Elle attend avec appréhension le moment où elle apercevra le doigt mutilé. À cette peur se mêle un autre sentiment, une excitation frisant le voyeurisme.

L'homme tire tout doucement sur le gant gauche. Sa main est intacte ! C'en est trop. Incapable de contenir plus longtemps sa curiosité, elle prend sur elle d'élucider le mystère.

– Pourquoi portez-vous des gants ?

– Pour l'hygiène. J'ai une peur obsessive des microbes.

Bien que légèrement démontée par ces explications (est-il préférable de se trouver en présence d'un maniaque de la propreté ou d'un bandit de la mafia ?), Milena se sent soulagée. Elle ose même aborder la question qui la tracasse depuis le début.

– Pourquoi m'avez-vous invitée au restaurant ? Vous ne me connaissez pas.

– J'avais envie de pratiquer mon anglais.

Voilà, tout rentre dans l'ordre. On lui a fourni une version des faits à peu près acceptable. La réalité, à peine plus terne que la fiction, lutte pour refaire surface.

Parfois à Tokyo, dans le sous-sol de la ville, à l'une ou l'autre des stations de métro, des businessmen en complet sombre, des hommes d'un sérieux dont il n'est pas permis de douter, invitent spontanément des touristes à dîner et ce, dans le seul but d'échanger quelques mots en anglais. Milena a déjà entendu raconter de telles histoires. Elle y croyait plus ou moins. Jusqu'à aujourd'hui.

Elle adopte, pour manger, le rythme précipité de son compagnon. Elle enfourne les aliments plus vite qu'elle ne les avale ; plus tôt elle en aura terminé avec ce repas, plus tôt Nathasha et elle pourront s'en aller. En se dépêchant, il leur sera encore possible d'atteindre l'aéroport avant cinq heures. De toute façon, Masahito rentre toujours après onze heures. La chance aidant, on leur trouvera ce soir même une place dans un avion en partance pour l'Europe. Avant que Masahito ne s'aperçoive de leur départ, elles seront déjà en route pour la Pologne.

Elle regrette de ne pas avoir gardé la montre. Elle aurait pu la vendre et ainsi se procurer un supplément d'argent. Maintenant, il est trop tard pour la récupérer. Incommodé par le système de climatisation qui leur souffle sur les épaules un petit vent nordet, l'homme a remis son veston.

La dernière bouchée engloutie (ouf ! elle n'aurait pas pu en avaler une de plus), elle hâte les adieux.

— Je vous remercie pour l'invitation. À présent, je dois me sauver. Je me sens fautive de filer juste après le repas, mais je n'ai pas le choix. En tout cas, j'ai vraiment apprécié de manger en votre compagnie.

– Le plaisir a été pour moi. Ne vous sentez pas mal à l'aise de partir, je sais que vous avez des obligations ailleurs. Quand vous rencontrerez votre copine, tout à l'heure, dites-lui qu'elle a une jolie petite fille.

Non mais je rêve! se dit Milena. Il a gobé mon histoire, il y a totalement cru! Et comme elle ne veut pas renier sa fille trois fois dans la même journée, elle lance par-dessus son épaule en partant :

– Ce n'est pas le bébé de ma copine, c'est le mien!

Elle ne s'est pas retournée pour voir sa réaction. L'essentiel était de rectifier la situation, de reprendre son rôle pour ne pas trahir Nathasha. Et tant pis si ce type n'y comprend rien; elle-même n'est pas certaine de bien s'y retrouver.

À la sortie du restaurant, elle cherche une cabine téléphonique. Elle désire prévenir ses parents de son arrivée. Comme si ce geste officialisait son départ.

Les lignes sont occupées, elle n'arrive pas à obtenir la communication.

– Allô! allô! répète Milena.

– *Moshimoshi*, répond l'opératrice en faisant écho à sa voix.

Une muraille d'eau se dresse, ses paroles ne parviennent pas à franchir l'océan. Elles tombent plutôt dans des fosses marines. Ensuite, plus rien, le silence ou presque. Une sonnerie fantôme, un glissement et, de loin en loin, le timbre grinçant d'une opératrice. Femme ou robot? se demande Milena.

Elle essaie encore, elle lance ses « allô » à la mer. Ils coulent très vite, en quelques secondes. Les silences se joignent, sa voix cassée gît au fond des abîmes.

Nathasha dodeline de la tête, une fois de plus emportée par le sommeil.

Elle le sent, elle ne réussira pas à leur parler avant son départ. Autant abandonner cette idée et se rendre sans plus tarder à l'aéroport. Elle s'est informée, elle sait quel train il lui faut prendre.

À nouveau la ville souterraine, ses restaurants, ses boutiques, un dédale d'avenues. C'est étrange, pense Milena, j'ai l'impression de ne pas connaître la ville où j'habite. Étonnée, elle constate qu'elle n'a jamais vu le vrai visage de Tokyo, son profil, le contour de ses immeubles au loin. Comme des taupes, ils s'enfoncent sous terre. À voyager ainsi, d'un tunnel à l'autre, ils n'ont qu'une vague idée des lieux qui défilent au-dessus d'eux. Une série de pancartes aux lettres uniformes, des banlieues où l'on ne s'arrête pas. Le conducteur, s'il y pense, bredouille leur nom pour la forme.

Les quartiers qu'elle fréquente sont autant de villages disparates. Elle arrive mal à les relier les uns aux autres. Une ville pleine de manques, de zones obscures; une courtepointe trouée.

La porte du wagon se referme sans qu'elle ait pu monter à bord du train. Il est plein, il déborde. Elle devra attendre le prochain. Elle reste sur le quai en se disant que c'est mieux ainsi. On les aurait peut-être retrouvées, Nathasha et elle, écrasées au fond d'un wagon ou alors aplaties contre une paroi, haletantes, à demi suffoquées. Car la foule, par cette chaleur, semble avoir de curieuses propriétés. On dirait qu'elle se gonfle, qu'elle prend de l'expansion malgré les courants d'air froid qui circulent dans les tunnels.

L'homme aux gants blancs leur fait signe de reculer. Investi d'un pouvoir mystérieux, une autorité que rehausse encore le prestige de l'uniforme, il arbitre toutes les luttes. Il partage les foules. Tel un dieu, il décide des élus.

Le train s'éloigne avec sa charge de passagers. Des visages s'écrasent contre les vitres. Milena imagine des poissons : ils pressent leurs lèvres décolorées contre les parois d'un bocal.

– Milena ! Milena san !

A-t-on vraiment prononcé son nom ? Elle se retourne, s'efforce de repérer dans la foule qui l'a appelée. Elle se sent étourdie rien qu'à regarder autour d'elle. Tous ces hommes en habit noir et en chemise blanche ; des points mouvants, un tableau psychédélique semblable à ceux qu'on retrouve au Musée d'art moderne. Finalement, elle aperçoit un petit homme vêtu de sombre (il fallait s'y attendre), le mari d'une copine. Il la rejoint, après avoir traversé le banc de pingouins.

— Milena san, quel hasard de vous rencontrer ici!

— Oui, drôle de coïncidence. Nathasha n'allait pas bien, alors je l'ai emmenée chez le médecin et là, je… je m'apprêtais à rentrer chez moi.

— La petite va mieux? Elle n'a pas l'air trop mal en point.

Nathasha, il est vrai, n'a jamais paru en meilleure santé. À la grande honte de sa mère, elle s'éveille de sa sieste, souriante, le teint rosé, d'humeur à supporter les cajoleries ennuyeuses. Justement, le petit homme cravaté avance la main dans le but évident de lui voler une caresse. Nathasha saisit sa cravate au vol. Elle s'y cramponne, elle tient bon, son petit poing tout crispé. Holà, mon bonhomme, semble-t-elle dire, pas trop de mamours, sinon…

Milena tente d'atténuer l'impression de force et de vitalité qui se dégage de sa fille.

— Si elle est aussi rougeaude, c'est à cause de la fièvre. Le docteur lui a donné des médicaments, elle s'est un peu remise. Mais dites-moi, et vous, comment se fait-il que vous soyez ici; vous ne travaillez pas aujourd'hui?

— J'ai rendez-vous avec un client à l'autre bout de la ville. Je vais dans la même direction que vous.

Milena dissimule de son mieux sa déception.

— C'est bien, parvient-elle à articuler, nous pourrons bavarder.

Le train arrive. Il les escorte jusqu'à un siège libre, s'y assoit avec elles, devenant du coup leur gardien, leur protecteur. Et dans ce wagon trop étroit, flanquée de ce garde improvisé, elle a la sensation d'étouffer, l'impression désagréable d'être devenue prisonnière. Les stations se succèdent, identiques les unes aux autres. Le mari de sa copine descend au quatrième ou au cinquième arrêt. Bien qu'il les ait délivrées de sa présence, elle continue de se sentir oppressée. Ce n'est pourtant pas catastrophique; un incident de parcours sans plus. Il lui suffit de descendre à la prochaine station et de prendre le métro en sens inverse.

Le train débouche à l'air libre. Pareil à un sous-marin égaré en haute mer, il refait surface dans une banlieue quelconque. De chaque côté de la voie, au-delà des murs de ciment, les maisons s'alignent en dessinant de mystérieux motifs.

Voilà, ils ralentissent. C'est bientôt le moment de descendre. Elle se sent incapable de se lever, comme si ses membres étaient de pierre, comme si elle n'avait plus de volonté propre. Des images lui traversent l'esprit : le monument de la paix souillé par les oiseaux, sa mère dressée telle une croix au milieu d'un parc, au milieu de ce champ qui a jadis été dévasté par LA BOMBE. La statue étend les bras dans un geste pacifique. Aldona parle de compromis, de responsabilité. « Il portait des lunettes de soleil », lui a écrit sa mère. Milena s'aperçoit avec surprise qu'elle ne se souvient plus de lui, elle ne pourrait pas reconstituer son visage de mémoire. Il ne lui reste rien de cet homme, pas même une photo. Le passé ressemble à ce champ dévasté par la terrible bombe.

Maintenant, quand elle essaie d'imaginer Frederik, elle ne le voit plus qu'avec ces détestables verres fumés. Parce qu'elle ne le voit plus qu'ainsi, parce qu'elle ressent un vide à l'intérieur d'elle-même, parce que ses membres sont devenus de plomb, elle demeure assise à sa place. Le train s'ébranle à nouveau. Il file en direction des *danchis*; les énormes complexes se profilent déjà au loin. Il est trop tard.

Elle sourit en repensant à son escapade, une évasion somme toute assez réussie. Il lui semble qu'elle n'éprouve plus aucun désir, à part l'envie de prendre un bain. Soudain consciente de sa mauvaise posture, Milena se redresse un peu. La nouvelle vie, dans son ventre, pèse plus qu'elle ne l'aurait cru. Elle n'a pas encore annoncé à Masahito qu'elle attend un autre enfant. Ce soir peut-être... S'ils ne se croisent pas d'ici là, elle lui fera part de la nouvelle dimanche.

Le ciel est toujours bleu, sillonné de traits de vapeur blancs qui s'effilochent; une illusion, un dessin à la craie qu'on efface.

Le futon

QUAND SES AMIS lui demandent pourquoi il s'est exilé au Japon, il répond franchement : « Pour devenir riche ». L'argent est ici. Il n'y a qu'à voir avec quelle voracité, dans cette société, les gens s'adonnent à la consommation de biens matériels. Ils préfèrent jeter des appareils encore en état de fonctionner plutôt que de se laisser dépasser par le progrès. L'abondance est telle qu'on la retrouve même dans les emballages. Le papier de soie déborde des sacs des acheteurs. Les minces feuilles frémissent au vent, des ailes à peine froissées sacrifiées sans raison. Cette situation, pour le moins préoccupante, n'égale en rien la frustration qu'il ressent devant la boîte blindée d'un emballage de biscuits. Le papier glacé résiste. On s'aiguise la patience et l'appétit à essayer de l'arracher, de faire sauter le coffre dans lequel les friandises sont gardées sous scellés. Quand on parvient, à force de persévérance, non sans avoir lancé plusieurs jurons, à ouvrir la boîte, c'est pour découvrir, oh! déception, que le biscuit n'est pas encore à portée de bouche. Car après les avoir enveloppés individuellement, on a poussé le souci de l'hygiène ou de la perfection jusqu'à les regrouper par paquets de deux, puis de quatre. Lorsqu'on finit par atteindre le bienheureux biscuit, on a tant salivé que le chien de Pavlov peut aller se rendormir.

Tout ce gaspillage; un sacrilège aux yeux de certains. Lui y voit un indice qu'il se trouve au bon endroit, au bon moment. Les richesses du monde entier reposent ici, cristallisées en un seul bloc. Il aspire à s'approprier une part de ce somptueux gâteau.

Pour le moment, il réussit, difficilement mais il y arrive, à gagner sa vie en effectuant par-ci, par-là de petits contrats de traduction. Heureusement, il y a Virginia. Une affaire, cette fille! Il s'est choisi une amie riche en prévision des mauvais jours. Il n'a eu aucun mal à persuader cette fille à papa blasée de le suivre au Japon. Même si, depuis son arrivée, Virginia s'amuse à prétendre qu'elle est pauvre, il sait qu'elle ne manquera jamais d'argent. Son père lui en envoie chaque semaine, sans attendre qu'elle se manifeste.

Des vibrations. Quelqu'un monte l'escalier, provoquant à chaque pas un mini tremblement de terre. C'est Virginia. Elle revient d'un rendez-vous chez la coiffeuse. Cette dernière, croyant bien faire, l'a peignée à la japonaise. Elle a brossé, rebrossé ses cheveux dans l'espoir d'y allumer quelques reflets. Bien qu'elle y ait mis toute l'énergie nécessaire, s'acharnant à la tâche, tirant yeux, peau et sourcils vers l'arrière, ses tentatives ont échoué. Elle n'a réussi qu'à rendre terne et plate cette chevelure trop fine.

Il considère d'un œil critique sa nouvelle coiffure. Virginia a l'air d'avoir deux cheveux. Il ne lui reste que ces deux fils pour encadrer et adoucir les traits de son visage. Il la trouve positivement affreuse.

Virginia, affolée, brandit devant elle un miroir de poche.

— Elle m'a arraché tous les cheveux. Regarde, je suis presque chauve! Et j'ai une séance de photographie cet après-midi. Qu'est-ce qu'ils vont dire au studio, de quoi je vais avoir l'air?

— Ça ira, ce n'est pas aussi pire que tu le crois. Et puis les cheveux, ça repousse.

Il lui parle sur un ton mielleux. Cette voix, enrobée de mensonge, leur convient à tous deux. En son for intérieur, il la juge plus laide qu'avant. Il ne comprend pas comment Virginia a pu obtenir ce contrat de mannequin. Il s'agit d'une petite agence; n'empêche qu'ils doivent avoir des critères de sélection. De la même manière qu'il ne réussit pas à établir de façon précise l'âge des Japonais, il s'imagine que ceux-ci, par une sorte de retour des choses, éprouvent des difficultés à reconnaître la beauté chez une autre race. Peut-être aussi leurs critères diffèrent-ils totalement des siens.

De là cependant à encourager Virginia à se lancer dans une carrière de mannequin… La figure de sa compagne, depuis quelque temps, depuis en fait leur arrivée au Japon, est devenue le siège d'irruptions cutanées, d'éclosions (pour ne pas dire d'explosions) nocturnes aussi mystérieuses que spectaculaires. La nuit dernière, justement, il lui est apparu d'autres boutons sur le visage. Il les a remarqués en déjeunant en tête-à-tête avec elle, ce qui lui a même un peu coupé l'appétit. Dans son pays, cette acné faciale aurait suffi à tenir en respect n'importe quelle agence de publicité.

Mais qu'est-ce qu'ils lui trouvent à la fin ? Quand elle porte cette robe moulante, quand elle se tient debout, comme présentement, les mains appuyées sur les hanches, elle ressemble à une potiche. Elle lui rappelle ces vases hideux qu'on ne manque jamais de recevoir en cadeau de noces. Sa robe est tellement serrée, elle lui dessine le nombril. Il s'émerveille toujours de ce que celui-ci, bombé vers l'extérieur, ne ramasse jamais rien, pas un brin de poussière. Le sien est une cachette où s'amassent des résidus de laine et de coton. Il doit régulièrement le vider, y mettre un peu d'ordre. Tiens, il se regarde encore le nombril ! Il aurait pourtant cru que des deux, c'était Virginia qui se le regardait le plus souvent.

Il lui découvre chaque jour de nouveaux défauts. Toujours plus monstrueux, plus intolérables, ils paraissent grossis plusieurs fois au microscope. Cela n'est sans doute pas étranger au fait qu'ils vivent à l'étroit dans un appartement constitué d'une seule pièce. Leurs rêves se marchent sur les pieds. Leur bulle, cet espace intime et vital, crève à tout instant. Dans cette boîte à chaussures, ses idées de grandeur étouffent. Elles s'aplatissent contre les murs, de minces cloisons en papier de riz qui vous livrent, sur un plateau, les habitudes, les borborygmes de vos voisins.

En guise de porte-folio, Virginia a remis à l'agence deux photographies. L'une, prise en contre-plongée, présentait l'avantage de lui allonger les jambes. L'autre cliché, un peu flou, de qualité très médiocre, était destiné à flatter le nationalisme de ses futurs patrons. On y reconnaissait Virginia, engoncée dans une robe de chambre de style japonais.

Et voilà que cette petite noiraude, aux yeux semblables à deux boutons de chemise, se prend pour un mannequin. C'est inouï, c'est le monde à l'envers! Non mais, regardez ces yeux; deux morceaux de verre, un verre épais, sans transparence, de la même couleur qu'une bouteille de lait de magnésie.

Parfois, dans un moment de révolte, lorsqu'il se sent envieux ou las de la flatter, il brûle d'envie d'insinuer devant témoins, un groupe de Japonais de préférence, qu'elle porte des verres de contact bleus. Il voudrait semer le doute et la confusion dans leur esprit, leur laisser un instant soupçonner à quel point cette fille est superficielle. Mais il se retient. Il se tait, par intérêt.

Virginia tire du placard un appareil rond, une sorte de coccinelle géante.

— Ah non! tu ne vas pas encore passer l'aspirateur!

— Il le faut, la vermine s'installe vite.

Il ne lui connaissait pas ce souci de la propreté. Elle passe l'aspirateur dix fois par jour, avant, après et même quelquefois pendant les repas, entre le dessert et le mets principal. Elle a développé cette manie, c'est devenu une véritable passion. Elle fait la chasse aux insectes comme s'il s'agissait, du même coup, d'exterminer ses boutons.

L'appareil mugit, avale la vermine microscopique ou imaginaire. Steve ne sait plus trop. Le bruit l'agace, cette nouvelle marotte le rend dingue. Se contenir. Il doit maîtriser ses émotions et demeurer avec elle. Virginia est riche. Cette phrase qui résonne dans sa tête, tel un leitmotiv, l'aide à retrouver son calme.

Il sort de l'appartement dont l'unique porte donne sur un balcon commun. On y accède par l'un ou l'autre des deux escaliers extérieurs.

Steve embrasse la ville du regard. Les HLM en papier de riz, les parcs, les arbres en pot, les palmiers nains, le cimetière où l'on continue de nourrir les morts, le stationnement du supermarché, un vaste espace réservé uniquement aux bicyclettes, les toits à plusieurs volants des temples, la rivière aux berges bétonnées ; tout un monde sur le point de s'écrouler, si l'on en croit les prédictions des experts qui attendent, avec leur froide curiosité de scientifiques, que se déclenche la fin de ce monde, le tremblement de terre du siècle.

Il a lu le manuel *Instructions en cas de séisme* qui l'a bouleversé au-delà de ce qu'il veut bien admettre. Il ne se sent pas prêt pour autant à quitter le pays. Il n'a pas encore amassé sa fortune. L'appât du gain le tient plus solidement qu'aucun attachement national. Alors il préfère rester et courir le risque d'affronter un cataclysme. Dans ces conditions, la meilleure solution consiste à ignorer l'épée de Damoclès suspendue au-dessus de leur tête ou encore à tourner la chose en dérision : la fin du monde approche. Nous avons bâti nos maisons sur le cratère d'un volcan mal éteint. Préparez-vous, mettez votre passeport à portée de main, il se pourrait que vous alliez camper plus tôt que prévu. Quand viendront les premières secousses, vous irez vous cacher sous une table ou sous un bureau. Dans la maison, il n'y a pas de sable où enfouir la tête et vous ne pouvez pas non plus vous cacher

sous les lits; il n'y en a pas, il n'y a que des futons.
Beaucoup plus tard, lorsqu'on vous sortira des
décombres, vous aiderez les autres fourmis à rebâtir
la ville. Ce faisant, vous apporterez peut-être aux
constructions certaines modifications, des améliorations techniques, ce qui ne les empêchera pas de
s'effondrer au premier frémissement des dieux.

Des améliorations, songe Steve, poursuivant le
fil de sa pensée; leur logement en aurait grand
besoin. Ils vivent, suspendus à une corniche, dans
des trous humides, des logements pour les étudiants à ce qu'il paraît. Les matins d'hiver, Virginia
et lui s'échappent de ces cabanes à moineaux pour
aller vivre au soleil, sur le balcon. Au printemps, à
la saison des pluies, l'air moite stagne dans les
appartements. Il prend possession des lieux. Il
s'étale au fond des placards où les souliers, si l'on
n'y prend garde, se mettent à moisir. Même en
décembre, comme en ce moment, l'humidité
demeure difficile à chasser. Ce n'est pas le calorifère
électrique, cette chose minuscule, semblable à un
grille-pain, qui parviendrait à s'en débarrasser.
L'appareil en question ne produit pas assez de chaleur pour réchauffer leur réduit. Par-dessus le marché, on doit l'éteindre le soir venu. On se retrouve,
une tuque enfoncée sur la tête, à faire du camping
au milieu du salon. Enfin, le salon, il faut s'entendre. Cette pièce sert aussi de cuisine, de salle à
dîner et de chambre à coucher. Le plus dur, pense

Steve, c'est d'arriver à s'endormir avant d'avoir le bout du nez gelé, car alors, il devient quasi impossible de fermer l'œil du reste de la nuit. Il envie Virginia. Elle sombre tout de suite dans une bienheureuse inconscience, « le sommeil des innocents », se dit-il pour se consoler.

❄

L'étranger est encore sur le balcon. Masame l'épie. Depuis que ce dernier est à l'université, il se la coule douce, il ne s'inquiète plus de récolter de bons résultats. Tous ceux qui réussissent à entrer dans cette université obtiennent leurs diplômes automatiquement, presque sans effort. L'effort, il fallait le fournir avant. Que d'heures il a passées, dans sa courte vie, à piocher dans ses livres ! Enfant, il a tellement étudié, parfois jusqu'à l'épuisement, jusqu'à rogner sur ses heures de sommeil. S'il avait pu hypothéquer sa croissance, arrêter pendant un moment de grandir, dépenser autrement cette énergie, s'en servir, par exemple, pour emmagasiner plus d'informations dans sa tête, il l'aurait probablement fait.

Son enfance, lorsqu'il tente de se la remémorer, lui revient par bribes. Des segments de formules, des titres de livre, sa tête devenue un terminal d'ordinateur ; ses parents anxieux de le voir réussir, ses parents qui, en le poussant à travailler, se rendent

complices du système. Et puis au bout de ce tunnel
(que l'enfance peut sembler longue parfois !), il y a
une épreuve à subir : la session d'examens. Des
questions et surtout des réponses dont dépend le
reste de sa vie. Il lui faut, coûte que coûte, être
admis dans cet établissement de haut savoir, le
meilleur, le plus réputé de la ville. S'il y arrive, les
plus grands se l'arracheront. On lui proposera un
emploi de cadre dans une prestigieuse entreprise.
Lentement mais sûrement, au fil des promotions
qui viendront avec l'âge, en reconnaissance de son
expérience, il gravira les échelons pour atteindre le
sommet. Le calme, la sécurité jusqu'à la fin de ses
jours s'il parvient à s'assurer une place dans cette
université !

Voilà, c'est fait. Maintenant il se donne du bon
temps. Il essaie de rattraper toutes ces heures perdues à se bourrer le crâne, à lutter désespérément
contre la fatigue. Il profite enfin un peu de la vie.
Ce n'est pas comme ce pauvre Suyoshi qui, après
avoir échoué aux examens, s'est suicidé. Il ne voulait pas être condamné à mener une existence
médiocre et ainsi déshonorer sa famille. Masame le
comprend. À sa place, il se serait comporté de la
même façon. Seulement, lui, il a réussi. Il a mérité
de se reposer, d'accéder au monde, combien plus
facile, des études universitaires. Il lit des bandes
dessinées, il se couche tard, il fume. Il mène la vie
d'un étudiant.

Debout, face à la ville, l'étranger lui paraît être l'incarnation vivante d'une affiche publicitaire qu'on voit partout sur les murs de la ville. Elle représente un Blanc vêtu d'une veste et d'un pantalon de toile. Il s'agit d'une réclame de blue-jeans. Les Blancs se ressemblent, ils ont presque tous un long nez. Le physique de ses voisins tend à confirmer cette règle. Leur appendice nasal, celui de la fille en particulier, exciterait l'envie des anciennes beautés japonaises, ces femmes dont l'ovale blanc des visages surgit parfois d'une gravure, tel un fantôme du passé. Il se demande si les charmes de ces belles sont complètement désuets. Un long nez ne représente-t-il pas, encore de nos jours, une sorte d'idéal ? Un nez fin et aiguisé, symbole de longévité ; un modèle classique finalement.

Il les regarde vivre ainsi qu'il consulterait une encyclopédie ou un guide de voyage. Ils ont de drôles d'habitudes ces gens. Ils sortent souvent, tard le soir. Ils reviennent avec des objets, des meubles qu'ils entassent dans leur appartement minuscule. Où se les procurent-ils, où les conduisent ces randonnées nocturnes ? Un bon soir, il les suivra.

L'étranger ne semble pas à l'aise chez lui. Quand sa femme est à la maison, il se tient le plus souvent dehors. Elle le réprimande sans arrêt. Masame n'en revient pas de les voir ainsi déballer leur vie en public. Il a honte pour eux, ce qui ne l'empêche pas de suivre avec intérêt les nouveaux développements de cette histoire, un téléroman diffusé en direct pour son bénéfice et pour celui de ses voisins.

Cette femme au long nez et à la grande bouche, dont elle se sert d'ailleurs abondamment, le fascine. Comment s'appelle-t-elle déjà? Il essaie de prononcer son nom à la manière étrangère : « Bil-gi-ni-a ». Le « v » et le « r » se métamorphosent dans sa bouche, il n'y arrive pas. Eh bien tant pis! Bilginia, c'est tout de même un joli nom!

Il feint d'ignorer l'étrangère, mais il se sent irrésistiblement attiré par elle. Ce matin, elle est passée près de lui avec ses sacs à provisions. Elle ne l'a seulement pas regardé. Il a beau s'asseoir dans l'escalier, dresser un rempart de son corps, elle le contourne sans mot dire. Quand il part à vélomoteur, poussant sa machine à fond, la forçant à pétarader plus fort, Bilginia ne tourne pas la tête. Pour elle, il n'existe pas, lui, l'enfant chéri et vénéré de sa mère, lui qu'on traite en roi dans la maison de son père. Il n'a jamais aussi peu compté aux yeux de quelqu'un. Ce peu d'attention le vexe et l'humilie. Il serait prêt à n'importe quoi pour se faire remarquer, qu'elle lève enfin vers lui ses yeux océan.

L'étranger se plie aux exigences de sa femme, il lui obéit au doigt et à l'œil. Avant-hier, il est allé au lavoir. Masame l'a vu s'éloigner à bicyclette, un paquet de linge sale à l'avant, dans son panier, un autre attaché à l'arrière, sur le porte-paquet. Ce dernier sac était percé. Il s'en est échappé, au moment du départ, une chaussette grise, de la même couleur que la route. Quand l'étranger est revenu, environ deux heures plus tard, il a sorti des sacs les vêtements encore humides. Il les a pendus au séchoir rond, fixé au rebord de la fenêtre. Ils ont tourné dans le vent le reste de l'après-midi.

Si Bilginia était sa femme, songe Masame, les choses se passeraient différemment. Elle n'arriverait jamais à le manipuler de cette façon. Il ne le permettrait pas. Il crâne, car il a déjà, en imagination, posé les gestes les plus fous et ce, dans le seul but d'accrocher une fois son regard. Ah! sortir enfin de l'anonymat où elle l'a relégué sans même y accorder une pensée, sortir des rangs de cette armée d'étudiants en uniforme!

✸

L'étranger est absent. Assise sur un coussin, Bilginia prend un bain de soleil. La silhouette familière du propriétaire se profile au bout de la rue. Il se dirige droit vers l'appartement de Masame. Celui-ci se tasse dans l'angle le plus sombre de la pièce. Ce serait embarrassant pour tous les deux si l'autre le surprenait, le nez au carreau, en train d'étudier les mœurs de sa voisine.

Le propriétaire frappe à sa porte d'un poing énergique. Masame met quelques instants à lui répondre, le temps de lui laisser croire qu'il se lève, qu'il traverse la pièce pour venir lui ouvrir. Monsieur Ikeda refuse d'entrer. Il reste dans l'encadrement de la porte, une paire d'épaules massives surmontées d'une tête qui paraît petite en comparaison. Il est venu pour affaires. Il lui présente un panier d'oranges, un cadeau. Il tourne un certain temps autour du pot avant de lui révéler l'objet de sa visite. De ses grosses mains de paysan, il déroule le tapis fleuri des politesses, un ramassis de formules qui s'enchevêtrent et forment presque, à la limite, une conversation autonome.

– Vous allez bien?

– Très bien, vous-même?

– De plus en plus vieux, mais il me reste encore un peu de force. On s'accroche, on résiste. Et comment va votre père, ce cher et vieil ami d'enfance?

– Il se porte à merveille, je vous remercie.

– Vos études?

– Ça va.

– Les étrangers vous ont causé d'autres problèmes?

– Pas depuis que nous nous réunissons chez Hiro. Ils ne tolèrent pas le bruit, surtout le soir. Ça les met en colère.

– Drôles de gens. Qu'est-ce qu'une petite fête entre voisins, est-ce une raison pour retourner ciel et terre? Les étudiants travaillent fort, ils ont le droit de s'amuser un peu de temps à autre. En autant, bien sûr, qu'ils ne causent pas de dommage à ma propriété. À ce propos, j'aurais une faveur à vous demander. Voyez-vous, c'est un peu délicat. Je dois m'absenter pendant quelques jours. Comme j'ai confiance en vous; je connais votre famille depuis tellement longtemps, j'apprécierais que vous gardiez un œil sur les autres locataires.

Quelqu'un passe l'aspirateur dans l'un des logements voisins. Le son de l'appareil déconcentre monsieur Ikeda. En parlant, il jette des regards de biais. Masame suit la trajectoire de ses yeux. Elle le mène droit à la porte des étrangers. Bilginia est rentrée dans son appartement.

— En général, continue le propriétaire, je n'aime pas louer à des étrangers. Vous comprenez, ils ne restent jamais longtemps.

Les étudiants non plus, songe Masame, sans toutefois oser exprimer le fond de sa pensée. Surveiller les allées et venues des autres locataires; pourquoi pas? Ce n'est rien qu'il ne fasse déjà. Si en plus, on le paye pour ça… Masame palpe les oranges dans le panier. Il savoure à l'avance la récompense de sa curiosité.

❋

Virginia grimpe les marches de l'escalier. Une fois de plus, l'édifice tremble sur ses longues jambes

d'acier, une fois de plus elle se dit qu'elle devrait lire
ce bouquin portant sur les tremblements de terre.
Steve lui en a parlé. On y donne différents conseils.
Réunir, par exemple, les objets auxquels on tient,
les papiers importants, des provisions également,
enfin tout un nécessaire de survie. Steve la presse
d'agir dans ce sens (l'a-t-il seulement fait, lui, sa
valise en prévision de l'Apocalypse ?). Jour après
jour, elle remet cette corvée à plus tard, prétextant
un horaire chargé, des occupations diverses. Elle ne
saurait pas quoi choisir de toute façon. Elle n'a
jamais su être ce voyageur modèle dont parlent les
guides de voyage. Elle emporte des montagnes de
bagages, elle ne sait pas ce que signifie le mot
« essentiel ». Si elle mettait leur suggestion en pratique, ses vêtements prendraient trop de place. Et
puis elle n'a pas le temps de s'arrêter pour réfléchir,
pas le temps d'envisager la possibilité de mourir.

Elle atteint, à bout de souffle, la dernière
marche de l'escalier. L'étudiant est encore là. Il
fume, appuyé à la rampe de l'escalier, trop grand,
trop mince, les épaules et le dos courbés comme ces
herbes qui plient au vent. Une mèche de cheveux,
toute luisante et gominée, lui voile l'œil gauche. Il
ressemble aux héros des dessins animés japonais.

Cet escalier, elle le monte dix, vingt fois par
jour, les bras chargés de paquets. L'étudiant se tient
presque toujours là, en haut ou en bas des marches.
Une silhouette noire, méprisante. Il ne lui viendrait

jamais à l'esprit de l'aider à porter ses paquets. Il est là et cependant il ne semble pas la voir. Elle a l'impression qu'il la considère comme un meuble, une pièce du mobilier de Steve.

Elle passe sans le saluer. Il ne répondrait sans doute pas à son geste. À quoi bon, dans ces conditions, s'exposer à l'humiliation d'être ignorée ?

Sur le plancher de paille, Steve a rassemblé plusieurs paquets de linge sale.

— Tu te prépares à aller faire le lavage ?

— Ah non ! C'est à ton tour ; la semaine dernière, c'est moi qui me suis tapé la corvée.

— Ça se voit.

— Qu'est-ce que tu veux insinuer ?

— Il me manque des vêtements.

— Quels vêtements ?

— Des sous-vêtements. Tu les as sûrement laissés là-bas. Ça va me coûter une fortune d'en acheter d'autres. Tout est tellement cher ici.

Ainsi, il aurait perdu des vêtements. Il se demande quand la chose a pu se produire. Peut-être en traversant les rails de chemin de fer ? Il a senti le paquet de linge ballotter à l'arrière… À la réflexion, il lui manque aussi quelques chaussettes. Deux ou trois chaussettes suffisent à emplir le réservoir de ces machines à laver miniatures ; et s'il avait oublié de vider l'un des appareils ?

Virginia tempête. À l'en croire, elle en est à sa dernière chemise. Il n'aurait pas dû rechigner. Au fond, il ne déteste pas s'occuper du lavage, surtout depuis qu'il a découvert, sur une étagère, au-dessus des sécheuses, une étrange collection de bandes dessinées. On y voit défiler, au fil des pages, des femmes nues aux formes plus que généreuses. Elles adoptent des poses très suggestives, quand elles ne passent pas carrément aux actes avec le héros. Ce dernier, seulement à moitié dévêtu, reste de dos ou de profil. Il ne se retourne jamais complètement pour éviter qu'on le reconnaisse.

Ces femmes s'offrent à la convoitise des clients du lavoir, des étudiants pour la plupart. Elles s'assurent ainsi de leur fidélité. Elles sont prêtes à tout pour les retenir ; des femmes dessinées sur mesure pour peupler leur attente.

Elles parlent japonais. Elles échangent avec les héros masculins des propos assez violents, à en juger par la dimension du lettrage, par les traits tendus, parfois grimaçants, des personnages. Steve ne comprend pas ce qui se dit. Qu'importe ! La gestuelle parle d'elle-même. Malgré leurs cris de protestation, ces femmes se montrent aussi soumises, aussi malléables que des poupées gonflables.

Elles sont comme l'expression d'un fantasme poussé à l'extrême. Peut-être représentent-elles une image déviée de la maternité. Cette dernière idée lui est venue en repensant à la grosseur extraordinaire de leur poitrine. Leurs seins sont tellement gonflés qu'on les croirait sur le point d'éclater.

Steve se soucie peu, en fait, d'analyser ce phé-
nomène social. Ces illustrations triviales allument
son désir. Il s'y laisse prendre. Il veut revoir les pros-
tituées de papier.

Virginia continue de discourir sur les prix, à
son dire trop élevés. Cela tourne à l'obsession.

— Tu sais ce que le propriétaire a fait l'autre
jour?

— …

— Il a donné des oranges à notre voisin. Un
plein panier!

— Et alors?

— Il aurait pu nous en offrir aussi. Tu connais
le prix des fruits dans cette ville? Un jour, j'ai vu
des fraises au supermarché. Elles étaient emballées
dans des boîtes qui ressemblaient à des écrins à
bijoux. On les vendait par paquet de dix : dix
fraises pour la modique somme de dix dollars. Elles
étaient toutes de la même grosseur, de la même
couleur également; un rouge trop parfait pour ne
pas être inquiétant. On aurait dit des fraises en
plastique.

— Tu exagères.

— Je t'assure que c'est vrai.

— Bon d'accord, je te crois. Changeons de
sujet, veux-tu?

— J'ai rencontré Marjorie.

— Qui?

— Tu sais, l'Américaine.

Son esprit fait le tri parmi une série de portraits. La figure ronde d'une femme dans la quarantaine lui apparaît. Elle porte les cheveux courts, coupés en brosse. Son air de chien battu, une couverture selon lui, une manière de façade, incite à la pitié. Elle ne lève presque jamais les yeux quand on lui parle. Son regard coule de côté, visqueux, à l'image de toute sa personne. Échouée dans ce pays à la suite de Dieu sait quelles mésaventures, elle déambule dans les rues de la ville, la tête basse. Une Américaine paumée, sans avenir, sans ambition. Une éternelle perdante!

Il se désintéresse complètement d'elle. Virginia a vu cette fille, et après?

— Marjorie, lui rapporte Virginia, n'emprunte pas uniquement des bicyclettes abandonnées. Elle m'a expliqué sa technique. Elle possède un attirail impressionnant : des pompes à air pour regonfler les pneus, des bonbonnes de peinture et plein d'autres machins. La peinture sert à camoufler les indices. La marque de la bicyclette, le nom du propriétaire, etc.

— Elle joue un jeu dangereux.

— Je l'ai invitée à venir ici, jeudi prochain.

— Pour quoi faire?

— Elle vit à Tokyo depuis plusieurs années. Elle connaît des tas de choses sur le Japon. Elle pourrait nous apprendre des trucs.

Il se dit qu'au fond, c'est tant mieux. Il pourra s'éclipser plus facilement, peut-être même rendre visite à cette fille, Keiko, qui lui a si complaisamment refilé son numéro de téléphone.

Virginia ne supporte jamais longtemps de parler des autres, aussi revient-elle bien vite à son sujet favori : elle-même.

– Tu ne sais pas quoi ? On m'offre de tourner une publicité pour la télévision. Une annonce de café. Je vais porter un kimono. Il va y avoir, à l'arrière-plan, des palmiers, le soleil levant ou couchant, je ne me rappelle pas exactement. Le réalisateur pense que, grâce à moi, les ventes vont grimper en flèche. Il n'arrêtait pas de répéter : « Tu vas être fantastique, irrésistible dans ton kimono ! C'est une pub taillée sur mesure pour toi. » Ça va être génial, non ?

Elle réussit avec quelques paroles à décentrer le monde de son axe, à faire croire aux gens qu'elle est elle-même devenue le centre de l'univers. Tous, ils gravitent autour d'elle, des fragments de planète sans intérêt. Il en a assez d'évoluer dans sa sphère. Il n'en peut plus qu'elle profite de leurs tête-à-tête pour se mirer dans ses verres fumés. Il est fatigué de ses vantardises, de ses exploits, présumés ou réels, qu'elle dissèque à l'infini.

Il récolte lui aussi sa part de succès. Les femmes d'ici le poursuivent de leurs assiduités. Il n'a qu'à les regarder dans les yeux ; elles fondent comme cire au soleil. Dans ces moments-là, il se sent puissant, doué d'un pouvoir quasi surnaturel. Il se découvre de nouvelles armes de séduction. Ses yeux bleus, banals jusqu'à son départ pour l'Orient (« globuleux », disait sa tante Alice), ont pris dans ce pays une valeur inattendue.

Bêtement, il succombe à la tentation de lui laisser voir qu'il est populaire lui aussi.

— La petite caissière au supermarché, je pense qu'elle se nomme Keiko, m'a encore demandé : « Are you married ? » Il répète plusieurs fois cette phrase, imitant l'accent et la voix de l'employée : « Ale you mallied ? » Il se croit très spirituel.

Virginia lui fait la tête. Elle ne tolère pas qu'il s'intéresse à une autre, encore moins qu'il en parle. Elle veut cette attention pour elle-même.

Plutôt que de déclencher une scène, elle boude. Cette attitude s'est révélée, au fil des ans, la plus efficace. Elle boudait probablement dans le ventre de sa mère. Elle avait déjà cette moue dédaigneuse. Si elle l'avait pu, elle aurait arraché son cordon ombilical, un moyen radical d'informer sa mère qu'elle n'appréciait pas le menu.

Avec des gestes saccadés, elle fourre le linge sale dans des sacs. Déjà, il est à ses pieds. Il regrette d'avoir fanfaronné.

— T'occupe pas de ça, je vais m'en charger.

— …

— Écoute, si ça t'ennuie, je peux aller faire le lavage.

— …

– Donne-moi les sacs, je vais les porter.

– …

– Attends, reviens! On va s'expliquer.

❋

Des éclats de voix; l'étranger parle fort. Masame s'approche, il se sent irrésistiblement attiré vers la fenêtre.

Bilginia sort de son logement en claquant la porte. L'étranger court sur ses talons, un ballot de linge dans les bras. Il crie, il gesticule.

– Tu en as oublié un!

– …

Bom! bom! bom! Leurs pas résonnent dans l'escalier.

Masame sort discrètement de son appartement. Ne voulant rien manquer de la scène, il s'avance jusqu'au bord du balcon. En bas, Bilginia s'affaire près de sa bicyclette; on dirait qu'elle selle un cheval. L'étranger papillonne autour d'elle. Il babille, en pure perte, semble-t-il, car sa compagne ne lui accorde pas plus d'attention que s'il s'agissait d'un moustique.

– Je vais t'aider à attacher les sacs.

– …

– Au sujet de tes sous-vêtements, je suis désolé. Je t'en achèterai d'autres.

– Ah! laisse tomber!

Masame allonge le cou aussi loin qu'il le peut sans risquer d'être repéré. Son corps, ses muscles se tendent dans un effort d'attention extrême. Les étrangers parlent anglais, mais il saisit des mots ici et là. Une ombre se glisse entre lui et le soleil : sa sœur Aroko. Il ne l'a pas entendue venir. Il ne l'entend jamais venir, peu soucieux au fond de savoir ce qu'elle devient.

Contrarié par sa visite inopportune, il lui réserve un accueil froid.

— Qu'est-ce que tu fabriques ici ? Je te croyais à Londres ou en Californie.

— Mon horaire de travail a changé.

Masame s'avise tout à coup qu'elle porte son uniforme d'agent de bord. Elle doit arriver directement de l'aéroport. Consciente de l'élégance formelle de ses vêtements, elle se tient le dos droit. Elle garde les pieds joints, mais ses jambes, fortement arquées, laissent passer la lumière ainsi que deux planches mal assemblées, tordues par l'hiver.

— Tu n'es pas encore passée à la maison ?

— Non.

— Tu devrais y aller.

— Je n'ai pas envie de voir otōsan. J'ai posé un geste qui va sûrement lui déplaire.

Voilà qu'elle craint leur père ! Il se sent agacé qu'elle fasse tant de mystère. Il devine par ailleurs, à ses explications demeurées en suspens, qu'elle désire se confier. Masame ne souhaite qu'une chose : qu'elle s'en aille au plus tôt. Aussi, pour hâter les confidences, se met-il à l'interroger.

— Mais enfin, de quoi as-tu peur?

— De sa réaction.

— Tu n'as quand même pas commis un crime?

— Presque, je me suis fait percer les oreilles!

Il reconnaît bien là son sens de l'exagération. Avec elle, les incidents les plus minimes se transforment en drames. Aroko possède un sens inné du théâtre. Elle s'entendrait à merveille avec ses voisins, les étrangers. N'empêche que leur père s'est toujours opposé à ce qu'elle se fasse « charcuter les oreilles », comme il disait. Il butait sur cette idée avec l'entêtement d'un âne refusant d'avancer. Cette interdiction étant devenue le symbole de son autorité paternelle, il s'en est servi pendant des années, la brandissant devant sa fille tel un étendard. Aroko, qui se montrait en toute autre occasion d'une obéissance exemplaire, ne s'était jamais résignée. Saison après saison, elle revenait à la charge.

À quoi rime ce défi? Sa sœur cherche vraiment à s'attirer des problèmes.

— Il n'a jamais voulu, je n'ai jamais eu sa permission. Alors j'ai profité d'un voyage en Californie. Là-bas, tu n'as pas besoin d'aller à l'hôpital pour cela. Tu n'as qu'à te rendre à la bijouterie la plus près. Ils utilisent un poinçon. Clac! Clac! et c'est fini! En Amérique, toutes les petites filles, y compris les bébés, ont les oreilles percées.

Qui cherche-t-elle à convaincre? On dirait, depuis qu'elle voyage, que les choses sont toujours mieux à l'étranger. Il déteste cette attitude.

Aroko continue de se lamenter.

— Otōsan va croire que je conteste son autorité. Il va être furieux.

Désireux de s'en débarrasser, il lui suggère des solutions faciles, les premières qui lui viennent à l'esprit.

— Tu attends qu'il soit de bonne humeur. Tu lui annonces ensuite la nouvelle avec ménagement. Ça va peut-être barder pendant un petit moment, mais les choses devraient vite se tasser. Après tout, tu es une adulte, tu agis comme tu l'entends.

Les menus problèmes de sa sœur, même si elle s'évertue à les transformer en drames, l'ennuient.

Aroko se décide à partir, rassérénée. Trop tard hélas au goût de Masame, puisque l'étrangère est depuis longtemps partie au lavoir. Il l'a vue passer à bicyclette avec ses sacs empilés à l'arrière, une tour en déséquilibre.

❀

Les étrangers sont encore sortis ce soir. Il aurait aimé les suivre, mais il attendait des amis. Il avait invité Hiro et sa bande à venir jouer aux cartes, en prenant soin toutefois de leur préciser qu'ils devraient quitter à une heure raisonnable. Dommage. Il les suivra la prochaine fois.

Les illustrés répandus un peu partout sur le plancher composent une joyeuse mosaïque. Ils recouvrent le futon qu'il ne se donne plus la peine de ranger dans le placard. Ses amis et lui ont bu du saké toute la soirée. Leurs gobelets poisseux sont restés sur la table basse. Ils risquent d'y demeurer quelques jours, car Masame n'accorde pas tellement d'importance à l'entretien ménager. Il s'achète des repas préparés d'avance au dépanneur du coin. Son mets favori : une omelette farcie au riz qui se conserve pendant plus d'un mois, un miracle de la technologie moderne. Qu'on en ait drainé la saveur représente un inconvénient mineur. La consistance caoutchouteuse de ces omelettes, aussi éloignée que possible de la cuisine traditionnelle de sa mère, le ravit. Masame savoure chaque bouchée comme s'il s'agissait d'un morceau de sa liberté fraîchement acquise.

Sa vie, meublée de loisirs de toutes sortes, ressemble à un parc d'attractions. Un interlude avant qu'il ne devienne cet homme d'affaires sérieux vêtu d'un complet noir. À l'instar de ses copains, il s'est pris de passion pour les machines à boules. Deux fois par semaine, il se rend dans un établissement où l'on joue au *Pachinko*. Il se livre à ces jeux avec la même fièvre qu'un parieur invétéré.

Pachinko; un enfer pour certains, un antre de plaisirs pour d'autres. Les enseignes au néon, semblables à ces lampes destinées à pulvériser les moustiques, vous attirent à l'intérieur. Dans cet univers de bruits électroniques et de sirènes hurlantes, Masame se sent littéralement transporté. Il a l'impression de vivre à plein sa vie de célibataire.

Avant, il fréquentait avec assiduité les boîtes de nuit. Maintenant que les étrangers sont là, depuis que le théâtre a déménagé à sa porte et qu'il s'y joue en permanence une pièce dont l'entrée est gratuite, il reste plus souvent à la maison. Même s'il refuse de l'admettre, il se sait vaguement amoureux de l'héroïne de la pièce.

Masame éteint sa chaufferette. Il déblaye un coin du futon avant de se mettre au lit. Les couvertures relevées jusqu'au menton, il pense à l'étrangère. Il s'endort en caressant la petite culotte rose sous son oreiller.

Une odeur l'éveille. Cette senteur est-elle réelle ou s'agit-il d'un rêve? Il voudrait se rendormir, mais une voix le pousse à se lever, à faire en reniflant le tour de l'appartement. Il suit son intuition tout en se sentant complètement ridicule. Comme un enfant qui voit des monstres après un cauchemar. Il se dirige vers la porte, l'ouvre. Dehors, il y a toujours cette odeur de fumée, plus forte encore qu'à l'intérieur. Il respire à fond plusieurs fois, se tourne dans une direction, puis dans l'autre.

Pendant qu'il cherche à détecter l'origine de cette odeur, l'étranger sort de son appartement. Il traîne derrière lui un matelas auréolé de fumée.

Tirant, soufflant, son voisin s'engage dans l'escalier. Le futon passe difficilement. Des ourlets de fumée s'accrochent aux barreaux de la rampe ; autant de doigts qui s'agrippent et refusent de céder. Soudain son voisin, sans doute sous l'influence d'une poussée d'adrénaline, tire violemment sur le futon. Les coutures craquent, le matelas s'ouvre, découvrant un ventre de braises. Les entrailles rougeoyantes d'un dragon.

Le feu qui couvait à l'intérieur éclate à l'air libre. Les flammes jaillissent, possédées par une faim dévorante. Elles s'étirent la langue. Elles lèchent la jambe de l'étranger. Ce dernier sursaute, lâche prise, saisit l'autre coin du matelas pour empêcher qu'elles le touchent.

L'étranger franchit la route, trimballant derrière lui le futon en flammes. Bilginia se tient dans l'ombre, sous le chambranle de la porte. On ne voit dépasser, dans l'éclairage d'une lanterne, que son nez, cet appendice musclé déjà célèbre dans le quartier. Masame entend des reniflements provenant vraisemblablement du noble appendice. Sans qu'il sache au juste pourquoi, il se sent ému.

Son voisin traverse le parc, le feu à ses trousses. Il traîne la bête sur la pelouse. Parvenu à la hauteur d'une fontaine, il lui plonge la tête dans l'eau.

Le matelas gît dans le bassin, masse noire et informe.

Après avoir réduit la bête à l'impuissance, l'étranger remonte chez lui, tout simplement. Il laisse à d'autres le soin de nettoyer.

Masame referme sa porte. La mort est passée à côté de lui, dans son sommeil. Bien qu'elle excelle dans l'art de déguiser son odeur, il l'a reconnue. Instinctivement. Le piège était prêt; cet appartement avec une seule porte de sortie, sans oublier les murs de papier, le plancher de paille. L'édifice aurait fait une belle flambée.

Il en veut à l'étranger. Sa négligence a failli leur coûter la vie. Il se doute un peu de la manière dont les événements se sont produits. Une dernière cigarette, l'engourdissement du sommeil, la main qui se relâche. Il imagine l'étranger sur sa couche incandescente, flirtant avec la mort. Si l'homme ne s'était pas réveillé, si lui-même s'était rendormi... Il pense aux autres locataires. Ignorent-ils le danger qu'ils ont couru? Une réflexion en amenant une autre, il prend subitement conscience que les étrangers sont les seuls non-fumeurs de l'immeuble!

Que dirait le propriétaire s'il était au courant de l'incident? Au train où vont les choses, il aura de drôles d'histoires à lui raconter. Il se promet de surveiller les étrangers d'encore plus près. Quant aux autres locataires... Tous ces fumeurs; il n'y avait jamais songé, mais ils représentent autant de risques d'incendie. Lui-même... Il se promet de surveiller tout le monde, sans exception. Sa vigilance se relâche si peu qu'il ne réussit pas à fermer l'œil du reste de la nuit.

❋

Marjorie descend du train à Kawagoe. Ses nouveaux amis habitent deux stations plus loin, mais il est trop tôt pour leur rendre visite. Elle les surprendrait à table. Puisqu'elle a des courses à faire, elle a pensé qu'elle pourrait flâner un moment dans la rue des boutiques.

Les regards pèsent sur elle, de plus en plus durs à supporter. Les étrangers attirent l'attention comme un aimant la ferraille. Quarante ans, pas mariée, obèse de surcroît ; elle croit que son embonpoint la rend deux fois plus visible, attire sur elle deux fois plus de regards.

Elle ne se sent pas à l'aise ici, pas plus qu'elle ne se sent à l'aise chez elle, en Amérique. Elle vient d'une famille où les femmes et les enfants sont battus de génération en génération. Un cercle vicieux. Pour échapper à cette ronde infernale, il faut se déguiser (elle s'est laissée grossir), s'enlaidir au point de devenir méconnaissable, s'en aller ailleurs incognito, éviter de tomber en amour et, surtout, ne jamais avoir d'enfants.

L'idée de passer la soirée en compagnie de Virginia et de son copain lui plaît assez. Il y a peut-être, de ce côté, un potentiel d'amitié à exploiter, sans compter les relations qu'elle risque de se faire en connaissant d'autres gens… Cette dernière éventualité n'est certes pas à négliger. Rien n'est à négliger.

Dans les grandes villes, que ce soit à New York ou à Tokyo, le marché aux amis est saturé. On a beau frapper ici et là quelques coups discrets, la porte de l'amitié demeure close. On vous observe par le judas. Vous éveillez la curiosité, pas nécessairement la sympathie. Vous restez sur le seuil. Les gens ne vous laissent pas entrer dans leur vie. Ils ont leurs occupations, un quota d'amis à ne pas dépasser, une routine qu'ils soignent. Les vieilles habitudes sont des monuments de bronze impossibles à déplacer.

Les destins se croisent, on traverse la vie des autres avec prudence, en marchant de côté, de la même manière que l'on circule dans une boutique pleine de bibelots. Ne rien déranger, ne rien jeter par terre. Il faut savoir s'esquiver. Si on vous invite, prenez la place qu'on vous indique ; si on vous parle, dites ce qu'on espère entendre. Ne partez pas trop tard, et si on ne vous invite plus, une fois la première curiosité satisfaite, n'insistez pas. Voilà tout le temps dont on disposait à votre égard.

Marjorie effectue un calcul rapide. Après une courte hésitation, elle achète deux autres bières. Ce soir, on va trinquer à l'amitié. Elle paye la tournée. Cette inclination à la dépense, aussi soudaine qu'inhabituelle, l'étonne. Il lui semble que sa générosité ne connaît plus de bornes.

✳

Steve retourne le paquet de biscuits, essaie de nouveau de décoller le papier. Ses ongles glissent sur l'emballage en produisant une sorte de crissement. À bout de nerfs, Virginia éclate :

— Arrête donc de t'acharner, on dirait un chien qui gratte à la porte!

Cette sortie, il le sait, n'est que la pointe de l'iceberg. Renonçant momentanément à sa collation, il attend, résigné, le reste des remontrances.

— Je ne comprends pas, reprend Virginia. À quoi as-tu pensé de laisser la chaufferette allumée? Tu n'as pas pensé du tout, c'est ça?

— Je te l'ai dit, j'étais tellement bien, je me sentais incapable de bouger. Pour une fois que j'avais chaud! J'en ai ras le bol de toujours avoir les pieds et le bout du nez gelés. Je ne pouvais pas prévoir que je m'endormirais; je croyais que j'aurais le temps de l'éteindre avant. J'ai dû bouger dans mon sommeil. Le matelas s'est retrouvé contre la grille de la chaufferette et…

– J'ai l'impression que tu ne te rends pas
compte ; on a failli y passer. Qu'est-ce qu'on va faire
maintenant ? Regarde, le mur est noirci. Le propriétaire va nous réclamer de l'argent pour les dom-
mages. Encore heureux qu'il soit absent. Ça nous
donne un peu de temps pour réfléchir.

– Il faut qu'on parte d'ici.

À peine a-t-il prononcé ces paroles que l'édifice
tremble de bas en haut. Ça y est, pense aussitôt
Virginia, voilà le fameux tremblement de terre. Je le
savais, j'aurais dû rassembler mes bijoux. Où est-ce
que j'ai mis mon portefeuille ? Et le contrat pour
cette pub ? Et mon passeport ? Ah ! mon Dieu ! mon
passeport !

Les événements se précipitent. Steve, qui a
maintes fois accompli ce geste dans sa tête, se
réfugie sous un cadre de porte. Guidée par un
autre instinct, Virginia fouille désespérément dans
l'armoire. Les sous-vêtements pleuvent de chaque
côté d'elle, des éclairs de soie roses, mauves, tur-
quoise. Fasciné par ce feu d'artifice, Steve oublie un
instant sa peur. L'espace d'une seconde, il imagine
son amie ensevelie sous les décombres, le corps
ramassé sur quelques possessions. Des objets
futiles, comme elle.

Le corps à demi rentré dans l'armoire, Virginia
lui présente son postérieur. Il trouve qu'elle a un
gros derrière. Et si c'était là sa dernière pensée ? Il
a peur de mourir avec cette réflexion en tête. Ce

serait trop vulgaire, trop terre à terre, indigne de
ce qu'on attend d'un homme sur le point de
rendre l'âme. Il s'efforce de changer le cours de ses
pensées.

Et puis, à nouveau, la terreur que lui inspire
l'instant présent le rattrape. Depuis des semaines,
des mois, ils vivent dans l'attente de cette catas-
trophe. La peur était là, en coulisse. Maintenant
elle sort de terre. Elle sourd de tous côtés, elle éclate
dans sa tête ; un fleuve qui déborde, incontrôlable.
Vont-ils y rester ? Le chambranle de la porte va-t-il
résister au cataclysme ou cette ouverture figure-t-
elle déjà l'entrée d'un autre monde ?

Le crescendo final tarde à se produire. Les
vibrations s'arrêtent et reprennent au rythme d'un
pas lourd, exténué. Ayant établi ce rapprochement,
il comprend subitement ce qui se passe. Ses nerfs se
relâchent dans un grand éclat de rire. La peur
rampe loin de lui, elle rentre sous terre. Virginia
demeure hébétée, au milieu des piles de linge
déplié. Il la rassure :

— Ce n'est rien ; encore quelqu'un qui monte
l'escalier. Ce qu'on doit avoir l'air stupide !

Il s'esclaffe de nouveau.

— Cesse de rire, espèce d'idiot. Écoute, tu
n'entends pas ? On frappe à la porte.

Une autre alerte est lancée. Steve réagit promptement à cette nouvelle menace.

— Tire le rideau ! Il faut cacher les dégâts.

Après avoir jeté un regard de biais par la fenêtre, il annonce :

— C'est l'Américaine !

— J'avais oublié que je l'avais invitée. Elle arrive tôt.

C'est Marjorie en effet. Marjorie qui tombe toujours mal, qui arrive trop tôt ou trop tard et dont la vie entière semble mal synchronisée. Le drame de sa solitude vient peut-être de là, d'un mauvais réglage ; une conséquence d'avoir trop cherché à déjouer le destin. Elle continue à cheminer dans l'existence en se demandant si elle n'a pas raté les rendez-vous importants de sa vie. Ses doutes se font plus aigus lorsqu'elle s'aperçoit, comme en ce moment, que sa présence gêne.

— Il fait froid ici. Vous ne chauffez pas ?

Virginia et Steve se regardent, embarrassés. Depuis l'incendie, ils n'osent plus allumer la chaufferette. Avant de se mettre au lit, ils s'enveloppent dans plusieurs épaisseurs de vêtements. Ils gardent leurs bas de laine. Parfois, ils enfilent aussi leur manteau. Ils sont si bien fagotés qu'ils ont peine à se retourner. Ils préfèrent encore cela. Ils préfèrent coucher dans un réfrigérateur plutôt que de voir se réveiller la bête de feu.

Virginia puise une bouteille dans le garde-manger. Steve l'a reçue en cadeau d'un de ses clients : un pot-de-vin dans tous les sens du terme. Elle revient vers la table, heureuse de sa trouvaille.

– J'ai trouvé de quoi boire!

Steve lui fait des signes à l'insu de leur invitée. Elle lit sur ses lèvres ce qu'il essaie de lui dire : « Non non, pas celle-là. Sors le saké; le format économique. » Virginia choisit de l'ignorer.

– On va se verser un petit remontant. Tu vas voir, Marjorie, ça va te réchauffer.

– J'ai apporté de la bière.

– Ah! bon? C'est gentil.

Steve s'empresse de ranger la précieuse bouteille. Ce n'est pas la peine de l'entamer puisque Marjorie a apporté de la boisson. Sait-on jamais, cette bouteille pourrait leur être utile un jour. Il ne faut pas la gaspiller. Craignant que Virginia ne mette de nouveau la main sur son vin, il cache la bouteille sous l'évier parmi les produits à récurer. Par mesure de précaution supplémentaire, il sort la pinte de saké. Il la place en évidence sur le comptoir dans le but de créer une diversion.

– Steve! Il n'y aurait pas quelque chose à grignoter?

Virginia le prend vraiment pour son serviteur! Steve jette rageusement une poignée de chips dans un plat. Il étale trois craquelins dans une assiette et porte le tout à ces dames. Marjorie qui, après un verre de bière, se sent déjà plus à l'aise, gratifie ce goûter d'un regard explicite : quoi! elle fournit la bière et c'est tout ce qu'on lui offre en retour? Elle trouve ses hôtes bien mesquins.

Ceux-ci ne s'offusquent pas de son attitude. Ils ne connaissent pas la honte.

Marjorie s'anime. Petit à petit, ses gestes prennent de l'expansion, la couleur de ses joues tourne au rose betterave. Steve juge que le moment est venu de servir le saké. Il l'a fait chauffer, au préalable, dans une cruche qu'il a déposée au milieu d'un chaudron rempli d'eau. Une méthode archaïque! Il regrette de ne pas posséder d'appareils ménagers plus modernes; si au moins ils avaient un four à micro-ondes! Une fois de plus, il reporte ses frustrations sur leur logement, un campement de fortune, une boîte en carton qu'ils ne peuvent pas chauffer sans risquer de provoquer un incendie. Autant dire qu'ils vivent dehors, comme les sans-abri.

Mais un jour, il prendra sa revanche. Il satisfera son appétit du luxe, il possédera tous les gadgets imaginables, du polissoir à ongles d'orteil au banc de toilette chauffant. Ce dernier article, depuis qu'il a eu l'occasion de l'essayer chez monsieur Saïto, le directeur de la compagnie Toshiwa, lui paraît être associé de près au succès. Il a pu apprécier à sa juste valeur le contentement que procure un tel équipement. Celui-ci représente une façon astucieuse de remédier à l'absence de chauffage central. Au fond, ce n'est pas un luxe, c'est presque une nécessité!

Pendant qu'il rêvait à ces installations princières, Virginia et Marjorie ont entrepris une partie de cartes. Le niveau de la pinte de saké a dangereusement baissé. Pressentant qu'elle va perdre, Virginia se met à bouder. Son humeur se détériore de seconde en seconde.

Steve s'extirpe à grand-peine de ses songeries. Le mirage d'un cabinet de toilette paradisiaque lui a presque fait perdre le sens de la réalité. Maintenant, il est temps d'intervenir avant que l'humeur de son amie ne s'altère davantage et qu'elle ne gâche définitivement, par son attitude, l'ambiance détendue de cette soirée.

Sans plus attendre, il décide de tirer parti de la situation :

— Marjorie, toi qui sais reconnaître une bonne affaire, j'ai un marché à te proposer.

❊

La rue est si étroite que les voitures ne peuvent circuler que dans un sens à la fois. Quand elles viennent à se rencontrer, l'une d'elles doit reculer pour permettre à l'autre de passer.

Un camion arrive. Bien qu'il soit minuscule, il bloque le passage. Une étrangère, la même grosse femme qui est venue l'autre jour, en descend. Le chauffeur, un petit homme à casquette dont le nez dépasse à peine au-dessus du volant, l'attend dans le véhicule. Elle a peut-être loué le camion ou alors se pourrait-il que ce Japonais à casquette soit l'un de ses amis? Nonchalamment appuyé contre la balustrade, Masame observe la scène en fumant. Il se perd en conjectures.

La grosse femme monte péniblement l'escalier, puis elle frappe à la porte des deux autres étrangers. Ceux-ci lui ouvrent. Elle entre. Au bout d'un court laps de temps, ils sortent tous de l'appartement. Ils se mettent à charger des meubles dans la boîte du camion : un bureau, des tables basses, un futon.

Des complications surviennent. Un autre camion s'engage dans l'étroit passage. Il vient livrer le gaz propane nécessaire au fonctionnement des chaufferettes et des appareils ménagers. Le nouveau venu klaxonne. D'une voix stridente, il exige qu'on lui cède la place. Les étrangers doivent momentanément interrompre leurs activités. « Leur camion » part en promenade forcée dans les rues avoisinantes.

Pendant ce temps, deux hommes en vareuse bleue déchargent le contenu de l'autre véhicule. Ils roulent sur le sol des bonbonnes presque aussi grandes qu'eux. De loin, ces récipients de métal pourraient passer pour des missiles.

Les étrangers attendent, un peu fébriles, que les travailleurs en vareuse aient fini de décharger leur arsenal de guerre. Les deux hommes repartent enfin, après avoir soigneusement aligné les bonbonnes dans un coin du hangar. L'abri ressemble maintenant à une réserve de munitions.

Quelques minutes s'écoulent. Le camion de l'étrangère ne réapparaît pas. Cette dernière commence à s'agiter, comme si elle appréhendait qu'il ne revienne plus.

❄

Marjorie formule à haute voix son inquiétude :
— Il a filé en emportant le stock.
Steve tente de la rassurer.
— S'il s'agissait d'un Blanc, je te dirais peut-être, mais ce gars-là est japonais! Ces gens ont le sens de l'honneur.
En lui-même, il s'exaspère de ce retard. Aucune somme ne lui a encore été versée. Il redoute que l'affaire n'échoue.
Des voitures passent. Elles circulent vite. Steve craint toujours qu'en manquant la courbe, elles ne fauchent l'un des pieux sur lesquels repose l'immeuble.
Passe un autre camion. Il est muni de haut-parleurs qui claironnent des annonces en japonais. Dans sa boîte, s'empilent des liasses de journaux attachés avec des cordes. Marjorie marmonne :
— Bon! Le recycleur de journaux à présent; celui-là, je le déteste!
Elle ne lui pardonne pas de lui donner, ne serait-ce qu'une fraction de seconde, de faux espoirs. C'est un imposteur. Ses haut-parleurs lui

rappellent le marchand de glace de son enfance.
Elle a toujours, lorsqu'elle les entend, le réflexe de
s'élancer sur la route avec une poignée de pièces
dans la main.

Lasse d'attendre, Virginia voudrait regagner
l'appartement. Elle estime que sa tâche ingrate de
manœuvre est terminée. Steve réussit avec peine à
la convaincre de rester. Il lui souffle quelques mots
à l'oreille. Des mots doux, croit deviner Marjorie.
Tendres ou non, ceux-ci produisent leur effet. Un
chapeau de paille enfoncé sur la tête pour protéger
son teint grumeleux, la jeune femme se rassoit sur
la première marche de l'escalier.

Un crissement de pneus. Une voiture négocie
le virage en frôlant la chaîne de trottoir. La tension
de Steve monte encore d'un cran. Si seulement
cette fichue bonne femme m'avait payé, ne cesse-
t-il de se répéter. Il cache son anxiété grandissante
sous des paroles banales.

— Il y a beaucoup de circulation.
— Ouais! bougonne Virginia. On aurait dû
choisir un autre moment.

❀

Le camion revient enfin. Le chauffeur immobilise le véhicule sans plus d'explication. Les étrangers se remettent au travail. Le petit homme à
casquette ne les aide pas. Il demeure rivé à son siège

comme si son rôle consistait uniquement à
conduire. L'œil vague, il regarde droit devant,
étourdi peut-être d'avoir tourné en rond aussi longtemps dans les rues de la ville.

Les meubles s'accumulent dans la boîte de la
camionnette : d'autres tables, un matelas, des
chaises, une étagère, un vieux téléviseur. Bientôt, le
chargement est complet. On ficelle ce curieux attelage, hérissé de pattes de chaise. On dirait un déménagement de pauvre. Masame ressent, à cette
pensée, un plaisir amer. Il se sent vengé de l'indifférence dont ils font preuve à son égard. Vengé surtout de la froideur de Bilginia. Les étrangers
s'agitent, tout petits en bas. Il avait peur de perdre
la face mais voilà qu'il prend sa revanche en les
écrasant de son mépris.

Une main lui effleure l'épaule. Encore sa sœur
qui surgit de nulle part. Qu'est-ce qu'elle lui veut ?
Pourquoi vient-elle de nouveau l'importuner ? Il lui
pose quand même deux ou trois questions, ainsi
que l'exige la politesse la plus élémentaire. Il écoute
à peine les réponses qu'elle lui fait.

— Alors, les choses se sont arrangées ? Tu es
allée à la maison ?

— Oui, euh ! non. J'ai rendu visite à nos
parents, mais juste avant d'entrer dans la maison,
j'ai enlevé mes boucles d'oreille. Otōsan ne s'est
aperçu de rien. Tu comprends, je n'ai pas eu le courage d'affronter sa colère. Je lui en parlerai peut-être

la prochaine fois… Mon employeur m'a téléphoné.
Je repars ce soir pour Los Angeles.

Masame hausse les épaules. Des enfantillages,
ces histoires d'oreilles percées! Qu'est-ce qu'ils
fabriquent encore en bas? Il attire l'attention de sa
sœur sur le groupe formé par les trois étrangers. Ils
se tiennent en cercle au milieu du trottoir. Ils ont
l'air de marchander.

Masame parle à voix basse, de peur d'être
entendu.

— Tu sais d'où ils viennent, ces meubles? Les
gaijins sortent presque tous les soirs. Un jour, je les
ai suivis et…

Il baisse encore la voix. Il s'exprime dans un
langage chargé de signes et d'allusions. Aroko
doute d'avoir bien compris.

— Tu ne veux pas dire que…

— Si, si, je t'assure. Attends, qu'est-ce qui se
passe à présent?

❄

Marjorie sort des billets de sa poche. Elle les
remet à Steve qui palpe l'argent avec satisfaction.

Le temps est aux embrassades, aux baisers
mouillés, aux promesses de se revoir sous peu.
Virginia se jette une dernière fois au cou de sa
« nouvelle amie ». Celle-ci supporte l'épreuve avec
résignation; c'est à peine si elle lève les yeux au ciel.

Aussi fugace qu'il soit, ce mouvement d'impatience lui permet de repérer des gens sur le balcon, un homme et une femme qui les observent. Le premier chuchote quelque chose à l'oreille de sa compagne. Ils rient tous deux, lui bruyamment, elle plus discrètement, à l'abri de sa main. Marjorie soupçonne son poids d'être à l'origine de leur bonne humeur. Elle s'interdit néanmoins de laisser cette pensée lui gâcher sa journée, préférant accorder à ces gens le bénéfice du doute. Peut-être rient-ils pour des raisons entièrement différentes de celles qu'elle imagine. Ne sait-elle pas mieux que quiconque qu'on ne doit pas se fier aux apparences?

Elle parvient, avec l'aide de Steve qui sue et pousse derrière elle, à se hisser à bord du véhicule. D'autres promesses, d'autres poignées de main. Virginia et Steve se confondent en simagrées que Marjorie, habituée aux dérobades et aux attouchements furtifs, juge déplacées. Après tout, ils n'ont pas gardé les cochons ensemble. Les mains se joignent dans un ultime salut. Puis elles lâchent prise, imitant les rubans qui se cassent au départ du paquebot. L'équipage s'ébranle. Marjorie, en s'éloignant, agite la main dans un geste royal, sans se douter le moins du monde qu'elle vient d'acquérir une partie des rebuts de la ville.

Les statues

Il PASSE les statues en revue. Elles tendent la paume. « Si l'une d'elles te ressemble, lui a expliqué son client, tu dois lui donner une pièce de monnaie. Cela te portera chance. »

Elles défilent, figées dans diverses postures. Des corps massifs, sculptés dans des blocs de la même grosseur, les angles arrondis par le temps. Les femmes ont les mains comme des oiseaux, les hommes ont le crâne rasé.

– Alors, vous vous reconnaissez?

Albert lisse ses cheveux d'un geste familier. Son client aurait-il oublié que ces statues représentent des Orientaux? Il cherche le moyen de répondre sans le vexer. Sa femme Béatrice apprécierait le côté mythique de cet exercice. Une fois, en Gaspésie, ils avaient participé à une excursion dans un parc forestier. Le groupe auquel ils s'étaient joints s'était arrêté pour contempler une montagne. L'animateur, un jeune blanc-bec engagé pour discourir sur la nature, avait jugé à propos d'intervenir.

— Voyez-vous la forme d'un lion dans ce roc?

— Oui, s'était empressée de dire Béatrice. Voilà sa crinière : ce bosquet de sapins, là, devant.

Les membres du groupe s'encourageaient à repérer différentes parties de la bête.

— Il a la gueule ouverte.

— Je vois ses oreilles.

— Et moi, sa queue, avait ajouté avec un rire gras le petit au béret vert.

Imaginaient-ils ces choses? Lui ne voyait rien. Il s'était éloigné pour fumer un cigare. Il les avait laissés remodeler la nature à leur guise.

Les statues mendient pour survivre au passé; assises, accroupies, à genoux, une main arrachée, les yeux effacés, de la mousse au creux des reins et sur la courbe des hanches.

Il pense à d'autres voyages. Il revoit des lieux où les châteaux, éreintés par le poids des ans et de la pierre, ne se tiennent plus debout. Comment se reconnaître dans les vestiges d'un passé qui ne lui appartient pas?

— Désolé, plaisante-t-il, on n'a pas encore érigé ma statue.

Son client sourit, il s'efforce de retourner ses paroles en compliment.

— Vous êtes un modèle unique.

Le sourire de Takashi rapetisse, devient ambigu. Albert n'est plus certain que ce compliment en soit vraiment un.

Ils traversent la rue pour gagner un jardin où s'élève la demeure d'un ancien guerrier. La maison est ouverte aux visiteurs.

Les pièces se succèdent, vides pour la plupart. Au centre de la maison, une chambre carrée, meublée de coffres et d'armoires, carrés eux aussi. Albert ressent une pointe de déception. Il a l'impression de se trouver sur les lieux d'un déménagement. Sa famille et lui se sont ainsi souvent transportés d'un endroit à un autre. À sa femme, qui sanglotait sur tous les cadres de porte en faisant une dernière fois le tour de la maison, il disait : « Béatrice, ce n'est qu'une maison. Il faut que tu sortes sans regarder derrière. » Les yeux vides, elle continuait de regretter Dieu sait quoi. Une vieille baraque ou alors un logement identique au prochain. Il ne la comprenait pas.

Son client le raccompagne jusqu'à la station de métro. Bien qu'il soit venu seul (n'est-il pas capable de refaire le chemin en sens inverse?), Takashi lui explique comment regagner l'hôtel.

Albert se réjouit que l'on soit dimanche. Il n'y a pas foule sur les quais. Les jours de semaine, l'homme aux gants blancs repousse les gens au fond des wagons comme du bétail. Le nez contre la vitre, il faut retenir sa respiration. Tout autour, des corps étrangers. Un coude dans l'estomac. La porte ne ferme toujours pas.

Albert chasse ces idées. Aujourd'hui, rien de tel. Le calme, quelques familles qui rentrent de la promenade dominicale. Ils se suivent à la queue leu leu ; le père en tête, la mère, à quelques pas derrière, puis les enfants, du plus grand au plus petit. Les mères et les filles sont coiffées de chapeaux de paille. Les enfants portent des sacs à dos, même ce petit (il ne doit pas avoir plus de quatre ans) qui trottine à la suite des autres.

Ce matin, Albert s'est demandé où pouvaient bien aller tous ces gens. Il a posé la question à Takashi. « Ils partent en excursion pour la journée », lui a répondu ce dernier.

Et maintenant ils reviennent. Chacun rentre chez soi.

La chambre d'hôtel est dépouillée : une boîte vide. Albert s'assied sur le futon. Il se force à la lecture du rapport annuel des ventes. En 1997, sa compagnie a réalisé tant de bénéfices… Ses pensées ne collent pas aux mots, elles reviennent sans cesse à la maison du guerrier. Ces meubles étranges ; les seuls morceaux qui restent d'un immense puzzle. Dans sa tête, les pièces et les armoires vides s'emboîtent, telles des poupées russes. Il manque le cœur, en bois solide. La dernière poupée.

La lampe clignote. Le cahier tremble entre ses mains. Un mouvement général. Les objets sem-

blent animés d'une vie propre. La secousse s'inten-
sifie. Il n'a pas peur, tout juste reste-t-il un peu
saisi. La même chose est survenue cette semaine, à
l'aéroport. Occupé à régler une affaire avec le
douanier, il ne s'en est pas immédiatement aperçu.
Il n'a pas capté les signes avant-coureurs (y en
avait-il seulement?) On voulait lui imposer une
taxe supplémentaire à cause d'un surplus de
bagages, à cause d'instruments indispensables à son
travail. Il argumentait avec verve. Comme, depuis
quelques instants, son interlocuteur se taisait, il a
levé la tête. Les employés autour d'eux se regar-
daient, vaguement inquiets. En arrière-fond, le
même bruit que maintenant, le cliquetis du verre
qui s'entrechoque.

Le palmier décoratif a frissonné. Albert n'aurait pas été surpris de le voir sortir de son pot et se
mettre à marcher. N'importe quoi, à cette minute,
aurait semblé possible. La terre n'a tremblé que
quelques secondes. Des secondes éternelles. Puis les
vibrations se sont espacées. Elles sont devenues
imperceptibles. La terre s'est rendormie ainsi qu'un
enfant après une crise de larmes. Les employés ont
réintégré leurs fonctions. On aurait dit que rien ne
s'était passé.

Le scénario se répète. Ces faibles secousses l'ir-
ritent. Pourquoi la terre ne tremble-t-elle pas un
bon coup? Un grand bouleversement et après on
n'en parlerait plus.

✳

Il chante mal. Takashi et ses collègues applaudissent quand même. C'est la première fois qu'il vient dans ce genre de bar.

Les clients se lèvent un à un pour aller chanter au micro. Un accompagnement électronique les incite à se prendre pour des professionnels. Certains ferment les yeux pour imiter leurs vedettes préférées. Ils ouvrent les bras trop grand.

Les sourcils en accent circonflexe, le patron de Takashi adopte un style langoureux. Les performances se succèdent. Pour les évaluer, Albert se base sur des critères extérieurs : les gestes, les mimiques. Il a du mal à dépister les fausses notes mêlées à une langue et à des mélodies qui lui sont étrangères.

— Takashi, c'est votre tour.

— Non, non. Je ne veux pas vous importuner avec ma piètre voix.

La tante de Béatrice, dans les soirées familiales, se faisait toujours prier pour chanter. Quand on avait enfin renoncé à la convaincre, elle se levait brusquement. Elle entonnait en se trémoussant une interminable chanson à répondre. Béatrice et lui devaient éviter de se regarder pour ne pas pouffer de rire.

Il a dit à Béatrice qu'il lui rapporterait un souvenir. Cet après-midi, il s'est promené dans les boutiques. Il y avait des clochettes provenant d'un pays d'Europe, des chapeaux de paille fabriqués à Taiwan et même, qui l'aurait cru, des chemises à carreaux manufacturées au Québec. Rien d'ici. Où qu'il aille, les pays tendent de plus en plus à se ressembler, comme les voyages d'affaires. Il aurait pensé qu'en Asie, ce serait différent. Il imaginait les gens faisant du tai chi dans les rues. À chaque carrefour, dans les recoins des temples, se tiendraient des vieux. Ils méditeraient, immobiles et énigmatiques, pareils à des Sphinx. Il avait idéalisé les personnes âgées, croyant qu'à chaque détour un sage l'attendrait. Il n'avait pas vu, dans ses fantaisies, leurs dents noircies. Pas plus qu'il n'avait compté sur leurs regards hostiles, des regards datant de la Seconde Guerre mondiale.

✴

Takashi revient vers la table, rouge et essoufflé.

— Bravo! fait Albert pour être poli.

— Ma chanson vous a plu?

— Beaucoup.

— Je n'ai pas souvent l'occasion de me produire devant un auditoire.

Pendant qu'il chantait, ses collègues en ont profité pour rapporter quelques cancans à son sujet. Il paraît qu'il s'exerce en cachette chez lui, qu'il fréquente, les samedis soir, des bars semblables à celui-ci.

Albert le sent très fier de sa performance. Takashi baisse les paupières. Il lutte pour demeurer modeste, mais la satisfaction éclate partout sur son visage. Pour ne pas se trahir davantage, il change de sujet.

— Vous aimez notre pays?

— Mais oui!

Albert infuse à sa voix une fausse chaleur. Une habitude de vendeur. Il se passe plusieurs fois la main dans les cheveux. Mentir accentue ses tics nerveux.

— Votre pays vous manque? s'informe le patron de Takashi.

— Oh! moi, vous savez, je me sens bien partout!

Il se fait un point d'honneur de ne s'ennuyer nulle part. Il se considère comme un être apatride. Le pigeon voyageur de sa compagnie. Quand il demeure un peu plus longtemps dans une ville, il s'inscrit à des visites guidées. Il va de monument en monument. Des hommes politiques, l'œil en coin, des pionniers, l'air bravache; il ne reconnaît jamais personne.

« Santé » ou « kanpai », comme ils disent ici. On fait cul sec et, pour bien montrer qu'on ne triche pas, on pose son verre à l'envers sur sa tête. On recommence.

Le patron de Takashi a amené son appareil photo. Il demande au serveur de prendre une photographie. Elle révélera sans doute qu'Albert a les yeux trop rouges. Ce dernier conserve un espoir; le flash multiplie les yeux rouges.

Ils se séparent devant le bar. Takashi et ses collègues partent en zigzaguant dans des directions opposées. Albert les regarde s'éloigner, leur serviette sous le bras. Il se demande s'ils sont payés pour les heures qu'ils passent au bar.

Takashi a omis de lui donner des instructions. Aucune importance. Il rentre à l'hôtel sans se tromper de chemin.

✳

— Vous avez aimé votre soirée?

Ils attendent sa réponse. Pourquoi sont-ils toujours si anxieux de plaire? Pourquoi veulent-ils se voir à travers ses yeux? Un pays aussi lisse qu'un miroir.

— Quand vous reviendrez, nous irons visiter autre chose. Le Bouddha géant ou les...

— Je prends ma retraite, coupe Albert plus abruptement qu'il ne l'aurait voulu.

La décision ne vient pas de lui. Il se sent vexé qu'on veuille le mettre à la porte si tôt, lui, qui les a pourtant bien servis. Il cherche quelque chose, il ignore quoi. Peut-être un dieu ou une maxime pour l'aider à mieux vivre. Sa quête dure depuis des années. S'il s'arrête maintenant...

— Je ne sais pas, poursuit-il plus doucement, si j'aurai les moyens de revenir à Tokyo en vacances.

Takashi et ses collègues semblent compatir à ses problèmes. Au fond d'eux-mêmes, ils remettent leur décision en question. Ont-ils raison d'investir dans les produits d'une entreprise aussi mesquine envers ses employés ? Pensez donc, une fois à sa retraite, cet homme ne pourra même pas voyager. Et si c'était un signe que la compagnie se trouve en difficulté ?

Le reste de la réunion se déroule dans la courtoisie. Avant d'entreprendre cette mission commerciale, Albert s'est familiarisé avec les codes de la langue. Il sait qu'ici un « oui, la chose est probablement possible » signifie en réalité un « non ».

Sachant son départ imminent, ses clients manifestent un désir encore plus grand de lui plaire. À midi, on décide de prendre une pause. Ses clients statuent sur le choix d'un restaurant. Entraînés à se montrer efficaces et disciplinés au travail, ils tombent vite d'accord. Rendez-vous, dans une demi-heure, au restaurant thaïlandais, sur la rue Ginza.

Albert refuse leur invitation. Le rappel de sa retraite, très prochaine, l'a rendu nostalgique. Il aimerait mettre de l'ordre dans ses idées, mais la petite fête d'hier lui a donné mal à la tête.

Il marche au hasard des rues. Il reconnaît les alentours, Takashi et lui se sont promenés de ce côté hier.

Elles l'attendent dans des postures torturées. À genoux, suppliantes, ou dressées, les bras tendus vers lui, ankylosées d'avoir tenu la pose pendant tout ce temps.

Elles le regardent dans le blanc des yeux. Il y en a une qui se cache derrière deux autres. On ne lui voit qu'un œil au-dessus de l'épaule du gros seigneur, au premier rang. Penchant la tête sous le bras de ce dernier, Albert la démasque, elle si craintive, si anonyme au milieu des autres.

Elle le considère, le buste incliné vers l'avant. Elle se lisse les cheveux d'un geste familier.

C'est Béatrice, c'est aussi lui.

Après un calcul rapide, il lui glisse une pièce de monnaie dans la main. Si elle trouve le montant insuffisant, il pourra blâmer l'échange d'être à la source de cette méprise. Mais les statues ne se plaignent jamais.

Il revient en sifflotant vers la salle de réunion. Il rentrera demain. L'exil a assez duré.

Table des matières

PAO : réalisation des Éditions Vents d'Ouest inc. (Hull)
Impression : AGMV Marquis imprimeur inc. (Cap-Saint-Ignace)

Achevé d'imprimer en mars
mil neuf cent quatre-vingt-dix-huit

Imprimé au Québec (Canada)